ESTUDE E VIVA

Francisco Cândido Xavier e Waldo Vieira

ESTUDE E VIVA

Obra também útil aos estudos sistematizados,
realizados em grupo, nas instituições espíritas

pelos Espíritos
Emmanuel e André Luiz

Copyright © 1965 *by*
FEDERAÇÃO ESPÍRITA BRASILEIRA – FEB

14ª edição – 11ª impressão – 600 exemplares – 5/2025

ISBN 978-85-7328-759-2

Todos os direitos reservados. Nenhuma parte desta publicação pode ser reproduzida, armazenada ou transmitida, total ou parcialmente, por quaisquer métodos ou processos, sem autorização do detentor do *copyright*.

FEDERAÇÃO ESPÍRITA BRASILEIRA – FEB
SGAN 603 – Conjunto F – Avenida L2 Norte
70830-106 – Brasília (DF) – Brasil
www.febeditora.com.br
editorial@febnet.org.br
+55 61 2101 6161

Todo o papel empregado nesta obra possui certificação FSC®
sob responsabilidade do fabricante obtido através de fontes responsáveis.
* marca registrada de Forest Stewardship Council

Pedidos de livros à FEB
Comercial
Tel.: (61) 2101 6161 – comercial@febnet.org.br

Adquirindo esta obra, você está colaborando com as ações de assistência e promoção social da FEB e com o Movimento Espírita na divulgação do Evangelho de Jesus à luz do Espiritismo.

Dados Internacionais de Catalogação na Publicação (CIP)
Federação Espírita Brasileira – Biblioteca de Obras Raras

E54e   Emmanuel (Espírito)

Estude e viva / pelos Espíritos Emmanuel e André Luiz; [psicografado por] Francisco Cândido Xavier e Waldo Vieira – 14. ed. - 11. imp. – Brasília: FEB, 2025.

192 p.; 21 cm – (Coleção Estudando a Codificação)

Inclui índice geral

ISBN 978-85-7328-759-2

1. Espiritismo. 2. Obras psicografadas. I. Luiz, André (Espírito). II. Xavier, Francisco Cândido, 1910–2002. III. Vieira, Waldo, 1932–2015. IV. Federação Espírita Brasileira. V. Título. VI. Coleção.

CDD 133.93
CDU 133.7
CDE 80.03.00

Sumário

Na escola da alma, Emmanuel 9
Estude e viva, André Luiz 13
1 – Hoje e nós 17
    Em tudo 18
2 – Tua mensagem 21
    Consciência e conveniência 22
3 – Em todos os caminhos 25
    Prescrições sempre novas 26
4 – Benfeitores e bênçãos 29
    Resguarde-se 30
5 – Diante da consciência 33
    Nosso material de lição 35
6 – Troca incessante 37
    Nosso concurso 39
7 – Tua prosperidade 41
    Uso e abuso 42
8 – Companheiros francos 45
    Salvo-condutos 46
9 – Solidariedade 49
    Até o fim 51
10 – Ante a família maior 53
    O espiritismo e os cônjuges 55
11 – O bem antes 57
    Guarde certeza 59
12 – Mensagem de companheiro 61
    Provas irreveladas 63

13 – Doações espirituais 65
Desportos 67
14 – Em torno da irritação 69
Liberte a você 70
15 – Na seara doméstica 73
Por nossa vez 74
16 – Não retardes o bem 77
Modos de usar 79
17 – Acidentados da alma 81
Aspectos da dor 82
18 – Golpes duplos 85
Use seus direitos 86
19 – Nas sendas do mundo 89
Vizinhos 91
20 – O poder da migalha 93
Coragem 95
21 – Lugar para ela 97
Em termos lógicos 99
22 – Na hora da crítica 101
Três conclusões 102
23 – Em torno da obsessão 105
Na cura da obsessão 106
24 – Deus e caridade 109
Respeite tudo 110
25 – Nas crises da direção 113
Sentenças da vida 114
26 – Crises sem dor 117
Mortos voluntários 118
27 – No exame do perdão 121
Memorandos 122

28 – Na hora da fadiga 125
    Doenças-fantasmas 126
29 – Emergência 129
    Imagens 130
30 – Amigos modificados 133
    Provações de surpresa 134
31 – Por meio da reencarnação 137
    Mediunidade e psicoterapia 139
32 – Em torno da regra áurea 141
    Esnobismo 143
33 – Perdão e nós 145
    Resignação e resistência 147
34 – Amparo espiritual 149
    Semeadores de esperança 151
35 – Ambiente espiritual 153
    Influenciações espirituais sutis 155
36 – O espírita na equipe 157
    Depois 158
37 – Médiuns iniciantes 161
    Algumas atitudes que o orador espírita deve evitar 163
38 – Espíritas em família não espírita 165
    Pontos perigosos para os pais 167
39 – Espíritas, meditemos 169
    Mimetismo e definição 171
40 – Socorro oportuno 173
    O espiritismo em sua vida 174
Índice Geral 177

Na escola da alma

Levantam-se educandários em toda a Terra.
Estabelecimentos para a instrução primária, universidades para o ensino superior. Ao lado, porém, das instituições que visam à especialização profissional e científica, na atualidade, encontramos no templo espírita a escola da alma, ensinando a viver.

* * *

Semelhante trabalho de burilamento do Espírito, porém, não é novo.
Lucas, o evangelista, conta-nos que Jesus,[1] num sábado, em Nazaré, participou de uma assembleia de fiéis, junto da qual leu uma página de Isaías, com vistas à edificação dos ouvintes, provocando, aliás, acirrada discussão.
Mencionamos o fato para salientar os hábitos de estudo nas coletividades de então, porquanto, para citar o Cristo, à feição de mestre, basta recordar-lhe a palavra constantemente ende-

---
[1] Lucas, 4:16 a 30.

reçada ao povo, tanto nas praças quanto nos recintos familiares, qual aconteceu na casa de Betânia.[2]

No dia de Pentecoste,[3] mensageiros sublimes prevaleceram-se das faculdades medianímicas dos continuadores diretos de Jesus e falaram, em línguas diversas, instruindo a multidão sobre assuntos de espiritualidade superior.

Sabemos que um Espírito amigo se aproximou de Filipe[4] e solicitou-lhe a gentileza de encontrar a caminho um alto funcionário etíope, a fim de ler em comunhão com ele certas passagens das Escrituras.

As cartas de Paulo aos cristãos de várias comunidades eram lidas[5] e trocadas para as elucidações devidas nos centros de cultura evangélica dos tempos apostólicos.

Justo, assim, que as instituições espíritas, revivendo agora o Cristianismo puro, sustentem estudos sistemáticos, destinados a clarear o pensamento religioso e traçar diretrizes à vida espiritual.

* * *

Atentos à sugestão confortadora de amigos, organizamos o presente volume[6] que consubstancia, de modo leve e ligeiro, os resultados de quarenta reuniões públicas de Doutrina Espírita, nas quais examinamos, livremente, nós, os servidores desencarnados,

---

[2] Lucas, 10:38 a 42.
[3] Atos, 2:1 a 4.
[4] Atos, 8:26 a 31.
[5] Colossenses, 4:16
[6] N.E.: os médiuns Francisco Cândido Xavier e Waldo Vieira psicografaram, em reuniões públicas, as mensagens de Emmanuel e André Luiz, respectivamente, constantes deste livro, situando-se, em cada capítulo, de início, a palavra de Emmanuel e, em seguida, a de André Luiz.

Estude e viva

os ensinamentos de Allan Kardec, juntamente de nossos companheiros encarnados.[7]

Certo, cada capítulo deixa o assunto em aberto para o exame de outros comentaristas que desejem partilhar conosco a felicidade do estudo, por meio do livro, uma vez que, na própria palavra do apóstolo Pedro,[8] verificamos que nenhum conceito da Escritura é de interpretação particular.

* * *

Apresentando, pois, este livro aos companheiros do mundo, recorremos à palavra do Cristo, quando nos exorta: "Conhecereis a verdade e a verdade vos fará livres".[9]

Efetivamente, não alcançaremos a libertação verdadeira sem abolir o cativeiro da ignorância no reino do Espírito. E forçoso será observar que o conhecimento é um tipo de aquisição que exige de nós caridade para conosco, porque, se é possível sanar as deficiências do corpo pelas doações da beneficência, como sejam o alimento ao faminto e o remédio ao doente, a luz do Espírito não se transmite nem por imposição, nem por osmose. Quem aspire a entesourar os valores da própria emancipação íntima, à frente do Universo e da Vida, deve e precisa estudar.

EMMANUEL
Uberaba (MG), 11 de fevereiro de 1965.
(Página recebida pelo médium Francisco Cândido Xavier.)

---

[7] N.E.: a contribuição das pessoas presentes em cada reunião constituiu-se de comentários, proposições, diálogos e debates que estão indicados sob a legenda "Temas estudados", no frontispício de cada capítulo.
[8] II Pedro, 1:20.
[9] João, 8:32.

Estude e viva

Estude e viva.
Valorizamos o ágape comum, em que se debatem assuntos corriqueiros de vivência humana.
Como desinteressar-nos dos encontros espíritas, nos quais se ventilam questões fundamentais da vida eterna?
A reunião espírita não é um culto estanque de crença embalsamada em legendas tradicionalistas. Define-se como assembleia de fraternidade ativa, procurando na fé raciocinada a explicação lógica aos problemas da vida, do ser e do destino.
Todos somos chamados a participar dela.
Falar e ouvir.
Ensinar e aprender.

* * *

Estamos defrontados no Espiritismo por uma tarefa urgente: desentranhar o pensamento vivo de Allan Kardec dos princípios que lhe constituem a codificação doutrinária, tanto quanto ele, Kardec, buscou desentranhar o pensamento vivo do Cristo dos ensinamentos contidos no Evangelho.

* * *

Capacitemo-nos de que o estudo reclama esforço de equipe. E a vida em equipe é disciplina produtiva, com esquecimento de nós mesmos, em favor de todos.

Destacar a obra e olvidar-nos.

Compreender que realização e educação solicitam entendimento e apoio mútuo.

Associarmo-nos sem a pretensão de comando.

Aceitar as opiniões claramente melhores que as nossas; resignarmo-nos a não ser pessoa providencial.

Em hipótese alguma, admitir-nos num conjunto de heróis e sim num agrupamento de criaturas humanas, em que experiências difíceis podem ocorrer a qualquer momento. Nunca menosprezar os outros, por maiores as complicações que apresentem. Por outro lado, aceitar com sinceridade e bom humor as críticas que outros nos enderecem. Esquecer as velhas teclas da maldição aos perversos, da sociedade corrompida, da humanidade a caminho do abismo ou do tudo deve ser feito como os guias determinaram. Não subestimar o perigo do mal, todavia, procurar o bem acima de tudo e favorecer-lhe a influência; não ignorar os erros da coletividade terrestre, mas identificar-lhe os benefícios e auxiliá-la no aprimoramento preciso; não cerrar os olhos aos enganos da Humanidade, contudo, reconhecer que o progresso é lei e colaborar com o progresso em todas as circunstâncias; não fugir ao agradecimento devido aos benfeitores e amigos desencarnados, entretanto, não abdicar do raciocínio próprio nem desertar da responsabilidade pessoal a pretexto de humildade e gratidão para com eles.

* * *

Somos trazidos à escola espírita, a fim de auxiliarmos e sermos auxiliados, na permuta de experiências e na aquisição de conhecimento.

Este livro é uma demonstração disso. Encontro informal entre companheiros encarnados e desencarnados em torno da obra libertadora de Allan Kardec. Explanações, definições, ideias e comentários. Em suma, convite sintético ao estudo. Estudar para aprender. Aprender para trabalhar. Trabalhar para servir sempre mais.

Estude e viva.

Pense no valor de sua cooperação na melhoria e no engrandecimento da equipe de que participa, esteja ela constituída no templo doutrinário ou em seu culto doméstico de elevação espiritual.

Não esquecer que o seu auxílio ao grupo deve ser tão substancial e tão importante quanto o auxílio que o grupo está prestando a você.

ANDRÉ LUIZ
Uberaba (MG), 11 de fevereiro de 1965.
(Página recebida pelo médium Waldo Vieira.)

1
Hoje e nós

E – Capítulo XX – Item 2[10]
L – Questão 117

TEMAS ESTUDADOS:
Antepassados; causa e efeito; necessidade de trabalho; ontem e hoje; oportunidade de elevação; tempo e nós.

Tempo e nós, vida e alma. Nós e hoje, alma e vida.

Tempo, capital inesgotável ao nosso dispor. Hoje, cheque em branco que podemos emitir, sacando recursos conforme a nossa vontade.

Comparemos a Providência divina a estabelecimento bancário, operando com reservas ilimitadas, em todos os domínios do mundo. Pela Bolsa de Causa e Efeito, cada criatura retém depósito particular com especificação de débitos e haveres nitidamente diversos, mas, pela Carteira do Tempo, todas as concessões são iguais para todos.

---
[10] N.E.: as letras "E" e "L" designam, respectivamente, *O evangelho segundo o espiritismo* e *O livro dos espíritos*, de Allan Kardec, seguindo-se-lhes os números dos itens e questões estudadas em cada reunião.

Para sábios e ignorantes, felizes ou menos felizes, a hora se constitui do valor matemático e invariável de sessenta minutos.

Hoje é a partícula de crédito que possuis em condomínio perfeito com todos aqueles que conheces e desconheces, que estimas ou desestimas, dom que te cabe a fim de angariares novos dons.

Aproveita, assim, o agora em renovação e promoção. Renovação é progresso, promoção é serviço.

Não te prendas ao passado por aquilo que o passado te apresenta de cadeias e sombras, nem te transtornes pelo futuro por aquilo que o futuro encerre de fantasia ou de incerteza.

Pelas forças do Espírito, estamos enredados aos pensamentos do pretérito, à feição do corpo físico que permanece saturado de agentes da hereditariedade. Conquanto vinculados aos nossos ancestrais, nenhum de nós é chamado à Terra para reproduzir a existência deles, e, por muito que devamos às ideias dos instrutores que nos estenderam auxílio, estamos convocados a expressar as nossas.

Respeitemos quantos nos ajudaram e dignifiquemos os pioneiros do bem que nos prepararam caminho; no entanto, sejamos nós próprios.

Espíritos eternos, saibamos construir a nossa felicidade pelo atendimento às leis de amor e justiça. Esquecer o mal e fazer o bem, estudar e realizar, trabalhar e servir, renovar e aperfeiçoar sempre e infatigavelmente. Para isso, reflitamos: o ontem ter-nos-á trazido a luz da experiência, e o amanhã decerto que nos sugere luminosa esperança. A melhor oportunidade, entretanto, não se chama ontem nem amanhã. Chama-se hoje. Hoje é o dia.

Em tudo

Em tudo o aprendiz do Evangelho encontra ensejo de empregar a orientação da fraternidade pura.

Escolhendo métodos para estudo.
Mantendo persistência no serviço em favor do próximo.
Elegendo a serenidade por norma de cada dia.
Burilando ideais sadios na ação de interesse geral.
Aplicando teoria e prática do bem nas tarefas mais simples.
Anotando por si mesmo a verificação das próprias deficiências.
Exprimindo gratidão operante.
Sustentando intenções nobres constantemente.
Defendendo a valorização efetiva das qualidades respeitáveis dos companheiros que o cercam.
Apresentando a doação espontânea de concurso pessoal a benefício dos outros.

* * *

Portanto, jamais percamos a visão central da meta superior a que nos dirigimos.

Com Jesus, estamos empenhados em trabalho ideal de equipe no esforço máximo de construtividade pela eficiência da alma no culto do amor vivo e pela criação da felicidade para todas a criaturas.

2
Tua mensagem

E – Capítulo V – Item 24
L – Questão 918

TEMAS ESTUDADOS:
*Ação; alegria real; caminhos retos;
consciência além da Terra; imperativo do
discernimento; influência pessoal.*

Tua mensagem não se constitui apenas do discurso ou do título de cerimônia com que te apresentas no plano convencional; é a essência de tuas próprias ações a exteriorizar-se de ti, alcançando os outros.

Sem que percebas, quando te diriges aos companheiros para simples opiniões em torno de sucessos triviais do cotidiano, estás colocando o teu modo de ser no que dizes; ao traçares ligeira frase, num bilhete aparentemente sem importância, derramas o conteúdo moral de teu coração naquilo que escreves; articulando referência determinada, posto que breve, apontas o rumo de tuas inclinações; em adquirindo isso ou aquilo, entremostras o próprio senso de escolha; elegendo distrações, patenteias por elas os interesses que te regem a vida íntima...

Reflete na mensagem que expedes, diariamente, na direção da comunidade.

Tuas ideias e teus comentários, atos e diretrizes voam de ti ao encontro do próximo, à feição das sementes que são transportadas para longe das árvores que as produzem.

Cultivemos amor e justiça, compreensão e bondade, no campo do Espírito.

Guarda a certeza de que tudo quanto sintas e penses, fales e realizes é substância real de tua mensagem às criaturas e é claramente pelo que fazes às criaturas que a lei de causa e efeito, na Terra ou noutros mundos, te responde, zelando por ti.

Consciência e conveniência

As boas soluções nem sempre são as mais fáceis, e as manifestações corretas nem sempre as mais agradáveis.

A trilha do acerto exige muito mais as normas do esforço maior que as saídas circunstanciais ou os atalhos do oportunismo.

Nos mínimos atos, negócios, resoluções ou empreendimentos que você faça, busque primeiro a substância *post mortem* de que se reveste, porquanto, sem ela, seu tentame será superficial e sem consequências produtivas para o seu Espírito.

Hoje como ontem, a criatura supõe-se em caminho tedioso tão só quando lhe falta alimento espiritual aos hábitos.

Alegria que dependa das ocorrências do terra a terra não tem duração. Alegria real dimana da intimidade do ser.

Não há espetáculo externo de floração sem base na seiva oculta.

Meditação elevada, culto à prece, leitura superior e conversação edificante constituem adubo precioso nas raízes da vida. Ninguém respira sem os recursos da alma. Todos carecemos de espiritualidade para transitar no cotidiano, ainda que a espiritualidade surja para muitos sob outros nomes, nas ciências psicológicas de hoje que se colocam fora dos conceitos religiosos para a construção de edifícios morais.

À vista disso, criar costumes de melhoria interior significa segurança, equilíbrio, saúde e estabilidade à própria existência.

Debaixo de semelhante orientação, realmente não mais nos será possível manter ambiguidade nas atitudes.

Em cada ambiente, a cada hora, para cada um de nós, existe a conduta reta, a visão mais alta, o esforço mais expressivo, a porta mais adequada.

Atingido esse nível de entendimento, não mais é lícita para nós a menor iniciativa que imponha distinção indevida ou segregação lamentável, porque a noção de justiça nos regerá o comportamento, apontando-nos o dever para com todos na edificação da harmonia comum.

Estabelecidos por nós, em nós mesmos, os limites de consciência e conveniência, aprendemos que felicidade, para ser verdadeira, há de guardar essência eterna.

Constrangidos a encontrar a repercussão de nossas obras, além do plano físico, de que nos servirá qualquer euforia alicerçada na ilusão?

De que nos vale o compromisso com as exterioridades humanas, quando essas exterioridades não se fundamentam em nossas obrigações para com o bem dos outros, se a desencarnação não poupa ninguém?

Cogitemos de felicidade, paz e vitória, mas escolhamos a estrada que nos conduza a elas sob a luz das realidades que norteiam a vida do Espírito, uma vez que receberemos de retorno, na aduana da morte, todo o material que despachamos com destino aos outros durante a jornada terrestre.

Não basta para nenhum de nós o contentamento de apenas hoje. É preciso saber se estamos pensando, sentindo, falando e agindo para que o nosso regozijo de agora seja também regozijo depois.

3
Em todos os caminhos

E – Capítulo XVIII – Item 10
L – Questão 4

TEMAS ESTUDADOS:
Autocrítica; construção íntima; escolha de ideal; existência de Deus; necessidade de autoburilamento; responsabilidade de viver.

Seja qual for a experiência, convence-te de que Deus está conosco em todos os caminhos.

Isso não significa omissão de responsabilidade ou exoneração da incumbência de que o Senhor nos revestiu. Não há consciência sem compromisso, como não existe dignidade sem lei.

O peixe mora gratuitamente na água, mas deve nadar por si mesmo. A árvore, embora não pague imposto pelo solo em que se vincula, é chamada a produzir conforme a espécie.

Ninguém recebe talentos da vida para escondê-los em poeira ou ferrugem.

Nasceste para realizar o melhor. Para isso, é possível que te defrontes com embaraços naturais ao próprio burilamento, qual a criança que se esfalfa compreensivelmente nos exercícios da escola. A criança atravessa as provas do aprendizado sob a cobertura da educação que transparece do professor. Desempenhamos as nossas funções com o apoio de Deus.

Se o conhecimento exato da Onipresença divina ainda não te acode à mente necessitada de fé, pensa no infinito das bênçãos que te envolvem, sem que despendas mínimo esforço. Não contrataste engenheiros para a garantia do Sol que te sustenta, nem assalariaste empregados para a escavação de minas de oxigênio na atmosfera, a fim de que se renove o ar que respiras.

Reflete, por um momento só, nas riquezas ilimitadas ao teu dispor, nos reservatórios da Natureza, e compreenderás que ninguém vive só.

Confia, segue, trabalha e constrói para o bem. E guarda a certeza de que, para alcançar a felicidade, se fazes teu dever, Deus faz o resto.

Prescrições sempre novas

Veja o que você quer, realmente.
A procura da luz inclui o combate à sombra.

* * *

Alimente princípios superiores.
Realizar o melhor é melhorar a si mesmo.

* * *

Use discernimento.
A convicção espírita baseia-se na ciência da lógica.

* * *

Atenda à paz com todos.
Quem cultiva aversões cria a infelicidade.

* * *

Trabalhe nas boas obras.
Ninguém segue o Evangelho sem transpirar.

* * *

Critique o que você fale ou escreva.
A propaganda indisciplinada costuma desacreditar o serviço que apregoa.

* * *

Não inculpe os outros por suas decepções.
Somos arquitetos de nossos destinos.

* * *

Sirva sem discutir.
O concurso sincero silencia a discórdia.

* * *

Aperfeiçoe as próprias preces.
A natureza da rogativa evolui com a elevação de nossa própria natureza.

* * *

Partilhe as tarefas do bem geral.
Com Jesus, o ideal de um coração é o ideal de todos.

4
Benfeitores e bênçãos

E – Capítulo XXV – Item 4
L – Questão 491

Temas estudados:
Autodefesa; autovigilância; concurso
fraterno; esforço próprio; Espíritos protetores;
experiência individual.

Confiemos nos benfeitores e nas bênçãos que nos enriquecem os dias, sem, no entanto, esquecer as próprias obrigações no aproveitamento do amparo que nos ofertam.

Pais abnegados da Terra, que nos propiciam o ensejo da reencarnação, por muito que se façam servidores de nossa felicidade, não nos retiram da experiência de que somos carecedores.

Mestres que nos arrancam às sombras da ignorância, por muito carinho que nos dediquem, não nos isentam do aprendizado.

Amigos que nos reconfortam na travessia dos momentos amargos, por mais que nos estimem, não nos carregam a luta íntima.

Cientistas que nos refazem as forças, nos dias de enfermidade, por mais que nos amem, não usam por nós a medicação que as circunstâncias nos aconselham.

Instrutores da alma que nos orientam a viagem de elevação, por muito que nos protejam, não nos suprimem o suor da subida moral.

Ninguém vive sem a cooperação dos outros.

Encontramo-nos, porém, à frente do amor de que todos somos necessitados, assim como o vegetal diante do apoio da Natureza. A planta não se cria sem ar, não medra sem o Sol, não dispensa o auxílio da terra e não prospera sem água, mas deve produzir por si mesma.

Assim também no reino do Espírito.

Todos temos problemas, reclamando o concurso alheio, mas ninguém pode forjar a solução do esforço para o bem que depende exclusivamente de nós.

Resguarde-se

Resguarde-se:
— dos tentáculos do desânimo, com a prece sincera;
— das arremetidas da sombra, com a vigilância efetiva;
— dos ataques do medo, com a luz da meditação;
— dos miasmas do tédio, com o serviço incessante;
— das nuvens da ignorância, com a bênção do estudo;
— das labaredas da revolta, com a fonte da confiança;
— das armadilhas do fanatismo, com a fé raciocinada;
— das águas mortas do estacionamento, com o trabalho constante e desinteressado no bem.

* * *

Cada Espírito traz em si as forças ofensivas do mal e os recursos defensivos do bem na marcha da evolução.

A vitória do bem, conquanto seja fatal, depende, pois, do livre-arbítrio de cada um.

Assim sendo, para a sua felicidade, resguarde-se de toda contemporização com os enganos que nascem de você mesmo.

5
Diante da consciência

E – Capítulo XVII – Item 2
L – Questão 169

T*EMAS ESTUDADOS:*
Atitude elevada; clima grupal;
companheiros do dia a dia; conduta
fraternal; definição de deveres;
vivência cotidiana.

A vontade do Criador na essência é, para nós, a atitude mais elevada que somos capazes de assumir, onde estivermos, em favor de todas as criaturas.

Que vem a ser, porém, essa atitude mais elevada que estamos chamados a abraçar diante dos outros? Sem dúvida, é a execução do dever que as leis do eterno Bem nos preceituam para a felicidade geral, conquanto o dever adquira especificações determinadas na pauta das circunstâncias.

Vejamos alguns dos nomes que o definem nos lugares e condições em que somos levados a cumpri-lo:

na conduta — sinceridade;

no sentimento — limpeza;
na ideia — elevação;
na atividade — serviço;
no repouso — dignidade;
na alegria — temperança;
na dor — paciência;
no lar — devotamento;
na rua — gentileza;
na profissão — diligência;
no estudo — aplicação;
no poder — liberalidade;
na afeição — equilíbrio;
na corrigenda — misericórdia;
na ofensa — perdão;
no direito — desprendimento;
na obrigação — resgate;
na posse — abnegação;
na carência — conformidade;
na tentação — resistência;
na conversa — proveito;
no ensino — demonstração;
no conselho — exemplo.

Em qualquer parte ou situação, não hesites quanto à atitude mais elevada a que nos achamos intimados pelos propósitos divinos diante da consciência. Para encontrá-la, basta que procures realizar o melhor de ti mesmo, em benefício dos outros, porquanto, onde e quando te esqueces de servir em auxílio ao próximo, aí surpreenderás a vontade de Deus que, sustentando o bem de todos, nos atende ao anseio de paz e felicidade, conforme a paz e a felicidade que oferecemos a cada um.

Nosso material de lição

Criatura alguma conseguirá partilhar o trabalho de várias comunidades ao mesmo tempo, não obstante a pessoa, por seus atos, influir indiretamente no conjunto da Humanidade.

Cada um de nós, estejamos encarnados ou desencarnados em serviço na crosta terrestre, vive jungido a um grupo de companheiros que constituem laços do pretérito ou instrumentos da hora, junto dos quais somos convidados a educar a vida e o coração para a Existência maior.

Semelhantes sócios de ideal parecer-nos-ão, às vezes, inadequados, mas é preciso considerar que, provavelmente no conceito que fazem de nós, julgar-nos-ão também impróprios para eles. Forçoso reconhecer que são agora o que são, como somos neste momento o que temos sido até hoje.

As diretrizes divinas não nos reuniram, por acaso, uns com os outros.

Não dispomos de recurso bastante para conhecer circunstanciadamente os propósitos da Justiça real. Sabemos que nos concede o melhor que sejamos capazes de receber para realizarmos o melhor que possamos fazer na hora que passa.

Usemos o amor que o Evangelho nos indica a fim de que se nos reduzam as deficiências recíprocas. Imperioso amá-los quais se nos fossem familiares queridos.

Devemos agradecer aos mais virtuosos o conforto com que nos alimentam a alma e auxiliar os que nos mostrem menos seguros.

Seguir o exemplo dos valorosos no dinamismo construtivo, apoiar os tíbios que tropeçam a cada passo na tarefa a desenvolver, sentir-lhes os percalços, compartir-lhes os regozijos.

Recolher a inspiração dos que acertam e amparar os que se transviam.

Escutar com atenção os que ensinam e ouvir com paciência os que se desequilibram nos labirintos da necessidade.

Estimular as mínimas aspirações que entremostrem no rumo da correção, permanecendo justos para que a fraternidade jamais lisonjeie o mal naqueles que amamos.

Saber tocá-los no sentimento, sem converter a sinceridade em censura e sem transformar a bondade em fraqueza, para que não se emaranhem nas armadilhas da ilusão.

Entender que sem eles seríamos quais alunos obrigados à frequência da escola sem material de lição.

Em suma, aceitar o campo da vivência cotidiana como o educandário mais digno em que possamos estagiar, provisoriamente internados pela paternidade comum, e do qual não sairemos senão para a repetência de provas, se não tivermos notas de aproveitamento que nos recomendem a equipes superiores.

Para isso, guardemos por norma a realização de benefícios generalizados a fim de que a rotina improdutiva não nos detenha à margem, adiando o nosso acesso à verdadeira compreensão.

6
Troca incessante

E – Capítulo XVII – Item 9
L – Questão 559

TEMAS ESTUDADOS:
Auxílio mútuo; cooperação no bem; ensejo
de trabalho; força da bondade; o poder do
amor; tempo e serviço.

Todos estamos situados em extenso parque de oportunidades para trabalho, renovação, desenvolvimento e melhoria. Entre aquelas que segues no encalço, como sendo as que te respondem às melhores aspirações, detém, quanto possível, a oportunidade de auxiliar.

Tempo é comparável a solo. Serviço é plantação.

Ninguém vive deserdado da participação nas boas obras, de vez que todos retemos sobras de valores específicos da existência. Não somente disponibilidades de recursos materiais, mas também de tempo, conhecimento, amizade, influência.

Não percas por omissão.

"Colherás o que semeias", velha verdade sempre nova.

Em todos os lugares, há quem te espere a cooperação. Aparentemente, aqueles que te recorrem aos préstimos contam apenas com o apoio que lhes é necessário, seja um gesto de amparo substancial, uma nota de solidariedade, uma palavra de bom ânimo ou um aviso oportuno. Entretanto, não é só isso. A vida é troca incessante. Aqueles a quem proteges ser-te-ão protetores.

Socorres o pequenino desfalecente; é possível que seja ele, mais tarde, o amigo prestimoso que te guarde a cabeceira no dia da enfermidade. O transeunte anônimo a quem prestas humilde favor pode ser em breve o elemento importante de que dependerás na solução de um problema.

O poder do amor, porém, se projeta mais longe. Doentes que sustentaste, nas fronteiras da morte, formarão entre os amigos que te assistem do plano espiritual. E mesmo o auxílio desinteressado que levaste a corações empedernidos na delinquência, quando não consigas tocá-los de pronto, te granjeará a colaboração dos benfeitores que os amam, conquanto ignorados e desconhecidos.

Todos nós, os Espíritos em evolução no educandário do mundo, nos assemelhamos a viajores demandando eminências que nos conduzam à definitiva sublimação. Ninguém na Terra efetua viagem longa sem o auxílio de pontes, desde o viaduto imponente à pinguela simples, para a travessia de barrancos, depressões, vales ou abismos. Por mais regular que se nos mostre a jornada, chega sempre o instante em que precisaremos de alguém para transpor obstáculo ou perigo.

Construamos pontes de simpatia com o material da bondade.

Hoje, alguém surge diante de nós, suplicando apoio. Amanhã, diante de alguém, surgiremos nós.

Nosso concurso

Com efeito, o nosso concurso na obra do bem apresenta características marcantes:
- é sempre oportuno.
- nunca se torna excessivo.
- apresenta valor específico.
- recebe beneplácito superior.
- demonstra-nos o desejo de acertar.
- constitui experiência sempre nova.
- mostra campo ilimitado de manifestação.
- não precisa impor nem condicionar.
- revela hoje o amanhã melhor.
- significa chamamento à cooperação dos outros.
- carreia o progresso.
- preenche-nos o tempo de maneira ideal.
- valoriza a vida de todos.
- sustenta o equilíbrio comum.
- constrói para sempre.

* * *

Estenda mão amiga às tarefas do bem anônimo, pois quem viaja na Terra dá e recebe invariavelmente os dons da alegria ou os tóxicos da tristeza que semeia por onde passa, na peregrinação para a vida eterna.

7
Tua prosperidade

E – Capítulo XVI – Item 13
L – Questão 702

Temas estudados:
Apoio do exemplo; bens espirituais;
lei do uso; necessidade do equilíbrio;
propriedade; prosperidade.

Tua prosperidade não transparece unicamente da face material do teu dinheiro, das tuas posses, da tua casa, dos teus bens.

Ela se compõe das experiências que ajuntaste, de alma transida, ante as incompreensões que te cercaram as horas.

Forma-se dos conhecimentos nobilitantes que amealhaste pelo estudo perseverante com que te habilitas ao privilégio de minorar a fadiga e o sofrimento dos irmãos que te acompanham à retaguarda, sem luz que os norteie...

Ergue-se das palavras temperadas de prudência e de amor que as provações atravessadas com paciência te acumularam no escrínio da alma, transfigurando-te em socorro aos caídos...

Eleva-se dos gestos de compaixão que amontoaste à custa das disciplinas a que te submeteste em favor dos que amas, pelas quais adquiriste o tato capaz de arredar a discórdia no nascedouro...

Avoluma-se nas migalhas de tempo, que sabes extrair das obrigações retamente cumpridas, para que te não falte a oportunidade de trabalhar no amparo aos menos felizes...

Tua prosperidade brilha nos exemplos de fraternidade com que dignificas a vida, nas demonstrações de altruísmo com que suprimes a crueldade, nos testemunhos de fé renovadora com que levantas os tíbios ou nos atos de humildade com que desarmas a delinquência.

Reparte com o próximo os valores que transportas no Espírito.

Aquele que verdadeiramente serve, distribui sem nunca se empobrecer.

Quem mais deu e quem mais dá sobre a Terra é Jesus Cristo, cuja riqueza verte, infinita, dos tesouros do coração.

Uso e abuso

O uso é o bom senso da vida e o metro da caridade.
Vida sem abuso, consciência tranquila.

* * *

Uso é moderação em tudo.
Abuso é desequilíbrio.

* * *

O uso exprime alegria.
Do abuso nasce a dor.

* * *

Existem abusos de tempo, conhecimento e emoção.
Por isso, muitas vezes, o uso chama-se "abstenção".

* * *

O uso cria a reminiscência confortadora.
O abuso forja a lembrança infeliz.

* * *

Saber fazer significa saber usar.
Todos os objetos ou aparelhos, atitudes ou circunstâncias exigem uso adequado. Sem esse uso, surge o erro.

* * *

Doença — abuso da saúde.
Vício — abuso do hábito.
Supérfluo — abuso do necessário.
Egoísmo — abuso do direito.
Todos os aspectos menos bons da existência constituem abusos.

* * *

O uso é a lei que constrói.
O abuso é a exorbitância que desgasta.
Eis por que progredir é usar bem os empréstimos de Deus.

8
Companheiros francos

E – Capítulo X – Item 13
L – Questão 922

TEMAS ESTUDADOS:
*Companheiros leais; diretriz construtiva;
em direção da felicidade; obrigações para
com os outros; saber ouvir a verdade;
sinceridade e maledicência.*

Na esfera do sentimento, somos habitualmente defrontados por certa classe de amigos que são sempre dos mais preciosos e aos quais nem sempre sabemos atribuir o justo valor: aqueles que nos dizem a verdade acerca das nossas necessidades de espírito.

Invariavelmente, categorizamos em alta conta as afeições que nos assegurem conveniências de superfície nos quadros do mundo. Confiança naqueles que nos multipliquem as posses efêmeras e solidariedade aos que nos garantam maior apreço no grupo social.

Perfeitamente cabível a nossa gratidão para com todos os benfeitores que nos enriquecem as oportunidades de progredir e trabalhar na experiência comum.

Sejamos, porém, honestos conosco e reconheçamos que não nos é fácil aceitar o concurso dos companheiros cuja palavra franca e esclarecedora nos auxilia na supressão dos enganos que nos parasitam a existência. Se nos falam, sem qualquer circunlóquio, em torno dos perigos de que nos achamos ameaçados, à vista de nossa inexperiência ou invigilância, mesmo quando enfeitem a frase com o arminho da bondade mais pura, frequentemente reagimos de maneira negativa, acusando-os de ingratos e duros de coração. Se insistem, não raro consideramo-los obsidiados, quando não permitimos que o mel da amizade se nos transtorne na alma em vinagre de aversão, exagerando-lhes os pequeninos defeitos, com absoluto esquecimento das nobres qualidades de que são portadores.

Tenhamos em consideração distinta os amigos incapazes de acalentar-nos desequilíbrios ou ilusões. Jamais cometamos o disparate de misturá-los com os caluniadores. Os empreiteiros da difamação e da injúria falam destruindo. Os amigos positivos e generosos advertem e avisam com discrição e bondade. Sempre que algo nos digam, sacudindo-nos a alma, entremos em sintonia com a própria consciência, roguemos ao Senhor que nos sustente a sinceridade e saibamos ouvi-los.

Salvo-condutos

Evite o gracejo descaridoso.
Valorize os intervalos de trabalho.
Observe o passado como arquivo da experiência.
Esqueça os sinais menos dignos das criaturas e dos fatos.
Sorria como resposta à dificuldade.
Dissipe as nuvens da incompreensão com a indulgência na palavra.

Respeite invariavelmente a fé alheia.
Sirva sem ostentar o serviço.
Intensifique o bem dispensando o alvoroço.
Melhore as opiniões no sentido edificante.
Fuja às pequenas manifestações de tirania disfarçada.
Coloque acima das próprias necessidades aquilo que se faça necessário ao bem dos outros.
Reivindique como privilégio a si mesmo a responsabilidade que lhe compete.
Ultime sem mais delonga a obrigação atrasada.
Sopese toda promessa antes de articulá-la na boca.
Corresponda, quanto possível, aos anseios dos que esperam por seu auxílio.

* * *

Semelhantes ações funcionam quais preciosos salvo-condutos desentrançando os obstáculos em nossa caminhada para a felicidade maior.

9
Solidariedade

E – *Capítulo XV – Item 5*
L – *Questão 770*

Temas estudados:
Amparo desinteressado; entendimento;
importância do concurso individual; justiça
e nós; o poder do exemplo; rumo à
fraternidade comum.

Não exijas, inconsequentemente, que os outros te deem isso ou aquilo, como se o amor fosse artigo de obrigação.

Muitos falam de justiça social nas organizações terrestres, centralizando interesse e visão exclusivamente em si próprios, qual se os outros não fossem gente viva, com aspirações e lutas, alegrias e dores iguais às nossas.

* * *

Como entender aqueles que nos compartilham a estrada, sem largarmos a carapaça das vantagens pessoais, a fim de penetrar-lhes o coração?

Efetivamente, não possuímos fortuna capaz de suprimir-lhes todos os problemas de ordem material, nem as leis do Universo conferem a alguém o poder de atravessar por nós o dédalo das provas de que somos carecedores; entretanto, podemos empregar verbo e atitude, olhos e ouvidos, pés e mãos, de maneira constante, na obra do entendimento.

Inicia-te no apostolado da confraternização, meditando nas dificuldades aparentemente insignificantes de cada um, se nutres o desejo de auxiliar.

Não reclames contra o verdureiro que te não reservou o melhor quinhão, atarantado, qual se encontra, no serviço, desde os primeiros minutos do amanhecer; endereça um pensamento de simpatia para a lavadeira, cujos olhos cansados não te viram a nódoa na roupa; considera o funcionário que te serve, apressado ou inseguro, por alguém de ideia presa a tribulações no recinto doméstico; aceita o amigo que te não pode atender numa solicitação como sendo criatura algemada a compromissos que desconheces; escuta os companheiros de ânimo triste como quem se sabe também suscetível de adoecer e desanimar-se; interpreta o colega irritado por enfermo a rogar-te os medicamentos da tolerância; cala o apontamento desairoso em torno daqueles que ainda não se especializaram em conversar com o primor da gramática; não te ofendas com o gesto infeliz do obsidiado que transita na rua sob a feição de pessoa equilibrada e sadia...

* * *

Todos sonhamos com o império da fraternidade, todos ansiamos por ver funcionando, vitoriosa, a solidariedade entre todos os seres, na exaltação dos mais nobres princípios da Humanidade... Quase todos, porém, aguardamos palácios e milhões, títulos e honrarias, para contribuir, de algum modo, na grande realização, plenamente esquecidos de que um rio se compõe de fontes pequenas e que nenhum de nós, no que se refere a fazer o melhor, em louvor do bem, deve esperar o amanhã para começar.

Até o fim

Já sentiu você o prazer de ajudar alguém sem interesse secundário, de modo absoluto, do início ao fim da necessidade, presenciando um sucesso ou uma recuperação?

Por exemplo, encontrar um enfermo sem possibilidades de tratamento, endereçado ao fracasso, e providenciar-lhe a melhoria simplesmente em troca da satisfação de vê-lo restituído às oportunidades da existência?

Ressuma desse fato bem-estar sem paralelo em qualquer outra ação humana por exprimir-se em regozijo íntimo inviolável.

Você já pensou nos resultados incalculáveis de proteger uma criança impelida ao abandono, desde as primeiras iniciações da vida até a obtenção de um título profissional que lhe outorgue liberdade e respeito a si mesma, sem intuito de cobrança?

Já refletiu na importância inavaliável de um serviço sacrifical sustentado em benefício de outrem, do princípio ao remate, sem pedir ou esperar a admiração de quem quer que seja?

Só aqueles que já passaram por essas realizações conseguem julgar a pureza da euforia e a originalidade da emoção que nos dominam ao cumprirmos integralmente os deveres assistenciais do começo ao acabamento sem a mínima ideia de compensação.

Ocasiões não faltam.

Ombreamos diariamente com multidões de doentes, desabrigados, famintos, nus, obsessos e desorientados.

Você pode até mesmo escolher a empreitada que pretenda chamar a si.

Há um encanto particular em sermos protagonistas ou colaboradores efetivos das vitórias do próximo. Em muitas ocasiões, não há melhor estimulante à vida e ao trabalho.

Para legiões de criaturas, essa obra de benemerência completa e oculta é a fórmula para restaurarem a confiança em Deus, cujas leis de amor funcionam pela marca do anonimato em bases impessoais.

Nessas empresas do bem por dedicação ao bem, almas inúmeras encontram a cura de males, o esquecimento de sombras, a significação da utilidade pessoal e a equação ideal do contentamento de viver.

Quando inconformidade ou monotonia lhe desfigurem a paisagem interior, dinamize o seu poder de auxiliar.

Semeie sacrifícios e colha sorrisos.

Dê suas posses e receba a alegria que não tem preço.

Tome a iniciativa de oferecer a sua hora, e outros virão espontaneamente trazer dias e dias de apoio ao trabalho em que você se empenhou.

Experimente. Desencadeie a causa do bem, e o bem responderá mecanicamente com os seus admiráveis efeitos.

10
Ante a família maior

E – Capítulo XXII – Item 3
L – Questão 803

T<small>EMAS ESTUDADOS</small>:
*Conduta e conciliação; conflitos conjugais;
família humana; imperativo da caridade;
matrimônio; Religião e casamento.*

Se podes transportar as dificuldades que te afligem num corpo robusto e razoavelmente nutrido, reflete naqueles nossos irmãos da família maior que a penúria vergasta.

Diante deles, não permitas que considerações de natureza inferior te cerrem as portas do sentimento.

Se algo possuis para dar, não atrases a obra do bem, nem te baseies nas aparências para sonegar-lhes cooperação.

Aceitemo-los como sendo tutores paternais ou filhos inesquecíveis largados no mar alto da experiência terrestre e que a maré da provação nos devolve, qual se fôssemos para eles o cais da esperança.

Muitos chegam agressivos; entretanto, não julgues sejam eles especuladores da violência. Impacientaram-se na expectativa de um socorro que se lhes afigurava impossível e deixaram que a desesperação os enceguecesse.

Outros se apresentam marcados por hábitos lastimáveis; todavia, não admitas estejam na posição de escravos irresgatáveis do vício. Atravessaram longas trilhas de sombra e, desenganados quanto à chegada de alguém que lhes fizesse luz no caminho, tombaram desprevenidos nos precipícios da margem.

Surpreendemos os que aparecem exteriormente bem-postos e aqueles que dão a ideia de criaturas destituídas de qualquer noção de higiene, mas não creias, por isso, vivam acomodados à impostura e ao relaxamento. Um a um carregam desdita e enfermidade, tristeza e desilusão.

Não duvidamos de que existam, em alguns raros deles, orgulho e sovinice; no entanto, isso nunca sucede no tamanho e na extensão da avareza e da vaidade que se ocultam em nós, os companheiros indicados a estender-lhes as mãos.

Se rogam auxílio, não poderiam ostentar maior credencial de necessidade que a dor de pedir.

Sobretudo, convém acrescentar que nenhum deles espera que possamos resolver-lhes todos os problemas cruciais do destino. Solicitam somente essa ou aquela migalha de amor, à feição do peregrino sedento que suplica um copo d'água para ganhar energia e seguir adiante.

Esse pede uma frase de bênção, aquele um sorriso de apoio, outro mendiga um gesto de brandura ou um pedaço de pão...

Abençoa-os e faze, em favor deles, quanto possas, sem te esqueceres de que o eterno Amigo nos segue os passos, em divino silêncio, após haver dito a cada um de nós, na acústica dos séculos: "Em verdade, tudo aquilo que fizerdes ao menor dos pequeninos é a mim que o fizestes".

O espiritismo e os cônjuges

Sem entendimento e respeito, conciliação e afinidade espiritual, torna-se difícil o êxito no casamento.

Todos os pretendentes à união conjugal carecem de estudar as circunstâncias do ajuste esponsalício antes do consórcio, para isso existindo o período natural do noivado. Aspecto deveras importante para ser analisado será sempre o da crença religiosa.

Efetivamente, se a Religião idêntica no casal contribui bastante para a estabilidade do matrimônio, a diversidade dos pontos de vista não é um fator proibitivo da paz em família. Mas, se aparecem rixas no lar, oriundas do choque de opiniões religiosas diferentes, a responsabilidade é claramente debitada aos esposos que se escolheram um ao outro.

A tendência comum de um cônjuge é a de levar o outro a pensar e a agir como ele próprio, o que nem sempre é viável nem pode ocorrer. Eis por que não lhes cabe violentar situações e sentimentos, manejando imposições recíprocas, mormente no sentido de se arrastarem a determinada crença religiosa.

Deve partir do cônjuge de fé sincera a iniciativa de patentear a qualidade das suas convicções, em casa, pelo convite silencioso a elas, por meio do exemplo.

Não será por meio de discussões, censuras ou pilhérias em torno de assuntos religiosos que se evidenciará algum dia a excelência de uma doutrina.

Em vez de murmurações estéreis, urge dar provas de Espiritualidade superior, repetidas no dia a dia. Em lugar de conceitos extremados nas prédicas fatigantes, vale mais a exposição da crença pela melhoria da conduta, positivando-se quão pior seria qualquer criatura sem o apoio da Religião.

Para os espíritas, jamais será construtivo constranger alguém a ler certas obras, frequentar determinadas reuniões ou aceitar critérios especiais em matéria doutrinária.

Quem deseje modificar a crença do companheiro ou da companheira comece a modificar a si mesmo, na vivência da abnegação pura, do serviço, da compreensão, do bom senso prático, salientando aos olhos do outro ou da outra a capacidade de renovação dos princípios que abraça.

O cônjuge é a pessoa mais indicada para revelar as virtudes de uma crença ao outro cônjuge.

Um simples ato de bondade, no recinto do lar, tem mais força persuasiva que uma dezena de pregações num templo onde a criatura comparece contrariada.

Uma única prova de sacrifício entre duas pessoas que se defrontam no convívio diário surge mais eficaz como agente de ensino que uma vintena de livros impostos para leituras forçadas.

Em resumo, depende do cônjuge fazer a sua Religião atrativa e estimulante para o outro, ao contrário de mostrá-la fastidiosa ou incômoda.

Nos testemunhos de cada instante, no culto vivo do Evangelho em casa e na lealdade à própria fé, persista cada qual nas boas obras, porque, ante demonstrações vivas de amor, cessam quaisquer azedumes da discórdia e todas as resistências da incompreensão.

11
O bem antes

E – Capítulo V – Item 4
L – Questão 1004

TEMAS ESTUDADOS:
*Desastres morais; destino; imunização
contra o mal; interdependência; o mal e nós;
nós e os outros.*

Não ignoramos que a lei de causa e efeito funciona mecanicamente em todos os domínios do Universo.

Sabemos, porém, que diariamente criamos destino.

Decerto que a eterna Sabedoria não nos concede a inteligência para obedecermos passivamente aos impulsos exteriores; confere-nos inteligência e razão para obedecermos às leis por ela estabelecidas com o preciso discernimento entre o bem e o mal.

Cabe-nos, assim, criar o bem e promovê-lo com todas as possibilidades ao nosso alcance.

Deploramos a tragédia passional em que se envolveram amigos dos mais queridos... Indaguemos de nós sobre o que efetuamos, em favor deles, para que não se arrojassem na delinquência.

Espantamo-nos perante a desolação de mães desvalidas que se condenam à morte, à frente dos próprios filhos desamparados... Perguntemo-nos quanto ao que foi feito por nós, a fim de que a penúria não as levasse às grimpas do desespero.

Lamentamos desajustes domésticos e perturbações coletivas, incompreensões e sinistros; entretanto, em qualquer falha nos mecanismos da vida, é necessário inquirir, quanto à nossa conduta, no sentido de remover, em tempo hábil, a ocorrência infeliz.

"O bem antes de tudo" deve erigir-se por item fundamental do nosso programa de cada dia.

Atendamos ao socorro fraterno, na imunização contra o mal, com o desvelo dentro do qual nos premunimos contra acidentes, em respeitando os sinais de trânsito.

Alguém se permitirá dizer que, se somos livres, nada temos a ver com as experiências do próximo; e estamos concordes com semelhante assertiva, no tocante a viver, de vez que todos dispomos de independência nas escolhas e ações da existência, das quais forneceremos contas respectivas ante a vida maior; contudo, em matéria de conviver, coexistimos na interdependência, em que necessitamos do amparo uns dos outros, para sustentar o bem de todos.

Os viajantes de um navio, a pleno oceano, reclamam auxílio mútuo, a fim de que se evite o soçobro da embarcação.

Nós, os Espíritos encarnados e desencarnados em serviço no planeta, não nos achamos em condição diferente. Daí, a necessidade de fazermos todo o bem que nos seja possível na reparação desse ou daquele desastre, mas, para que tenhamos sempre a consciência tranquila, é preciso saber se fizemos o bem antes.

Guarde certeza

O ato de rebeldia e dureza, antes de manifestar-se em maligna agitação, transforma o templo da alma em foco de lixo vibratório.

* * *

A palavra precipitada e ferina, antes de ferir o ouvido alheio, entenebrece os processos mentais do seu autor com a sombra da invigilância.

* * *

A queixa, embora aparentemente justa, antes de parasitar o equilíbrio do próximo, vicia as intenções mais íntimas do seu portador.

* * *

A opinião estagnada e orgulhosa, antes de acabrunhar o interlocutor, cristaliza as possibilidades de atualização e aperfeiçoamento de quem a manifesta.

* * *

O hábito lamentável, superficialmente comum, antes de sugerir a trilha da frustração ao vizinho, aprisiona quem o cultiva em malhas invisíveis de lodo e sombra.

* * *

A repetição deliberada de um erro, antes de dilapidar a reputação do delinquente, intoxica-lhe a vontade e solapa-lhe a segurança.

* * *

A grande ação delituosa, antes de exteriorizar-se para o conhecimento de todos, é precedida por pequenas ações infelizes, ocultas nos propósitos escusos daquele que a perpetra.

* * *

O desculpismo improcedente, antes de ser vã tentativa de iludir os outros, constitui a realização efetiva da ilusão naquele que o promove.

* * *

Antes de agirmos, mentalizamos a ação.
Antes de atuarmos na vida exterior, atuamos em nossa vida profunda.
Antes de sermos bons ou maus para todos, somos bons ou maus para nós mesmos.

* * *

Guarde certeza dessas realidades.
Antes de colher o sorriso da felicidade que esperamos dos outros, é preciso vivermos o bem desinteressado e puro que fará felizes aqueles que nos farão felizes por nossa vez.

12
Mensagem de companheiro

*E – Capítulo XIII – Item 4
L – Questão 800*

TEMAS ESTUDADOS:
Apoio espírita; espiritismo e experiência pessoal; obra espírita; provações inesperadas; socorro fraterno; tribulações escondidas.

Se já pudeste receber o amparo do Espiritismo, sustenta a obra espírita, a fim de que a obra espírita continue a auxiliar.

Não sonegues o ensino que entesouras, nem fujas do bem que podes fazer.

Quantos esperam de alguém um aviso fraterno, uma palavra de entendimento, um livro tonificante ou um gesto de apoio, para evitar a queda iminente!...

Compadeces-te dos enfermos e dos famintos e repartes com eles as migalhas do bolso e os recursos do prato. Pensa também nos necessitados da alma, que caminham na Terra em penúria do coração!

Reflete nas aflições que se escondem sob os rituais da etiqueta; nos calvários endinheirados; nas obsessões ardilosamente embutidas na inteligência; no desânimo dos bons; nas dores bem trajadas; nos remorsos enquistados na consciência; nos males ocultos, e no desespero dos que revolvem as cinzas, procurando um sinal de sobrevivência dos entes amados que se despediram na morte...

Muitos daqueles que julgas embriagados de alegria trazem no peito um vaso de lágrimas, e muitos daqueles outros que imaginas realizados, tão só porque os viste pelas lentes da fama, carregam dificuldades e provações, mendigando socorro espiritual.

É que há sombras e sombras. Para repelir as que assaltam os olhos, basta o conhecimento da luz, mas, para dissipar as que envolvem a alma, será preciso a luz do conhecimento.

Deixa, assim, que o Espiritismo — a refletir o Sol do Evangelho — ilumine a vida por meio de ti.

Para isso, não te dês a qualquer exigência.

Fala o conceito espírita em momento adequado; estende a página espírita com a espontaneidade de quem alivia o sedento na fonte de água pura; testemunha a convicção espírita no regozijo ou no sofrimento e oferece o exemplo espírita na vivência dos princípios que amamos, em trabalho e paciência, compreensão e humildade.

O apostolado de Allan Kardec é a restauração do Cristianismo simples e claro, em que Jesus procura o povo, e o povo encontra Jesus.

Corações em prece e mãos em serviço!...

Se já nos foi possível receber o concurso do Espiritismo, apoiemos a obra espírita, a fim de que a obra espírita continue a auxiliar.

Provas irreveladas

Do ponto de vista moral, há bastante infortúnio escondido em toda a parte.

Nos ambientes mais diversos, nos momentos em que menos se espera, com as pessoas fisionomicamente mais seguras de si, a aflição desponta inesperada, e o pranto pode estar surgindo às ocultas.

Desilusão, moléstia, revolta e desalento, em muitos casos, não afluem à face das circunstâncias exteriores.

Familiar decepcionado com o noticiário desairoso que vem a saber a respeito do parente querido.

Jovem agoniada na frustração de projetos matrimoniais.

Pai fustigado pela doença incurável de um filho.

Mãe ansiosa pela reconciliação impraticável com o pai de sua prole.

Cavalheiro bem-posto, mas absolutamente inconformado com a deficiência física de que se sabe portador, sem que os outros percebam.

Viúva atormentada pela falta de garantias no lar.

Cônjuge que não mais confia na companheira de vinte anos.

Homem ferido pela consciência na fase de transição entre um passado recente de erros e um futuro de maiores acertos.

Chefe enfermo de família numerosa repentinamente desempregado.

Criatura robusta e aparentemente normal envolvida em tramas de obsessão.

Aprendamos com a Doutrina Espírita que o pretérito se reflete no presente e que a lei de causa e efeito funciona em qualquer paisagem social, em qualquer pessoa, em todos os bastidores profissionais e todos os dias.

Ponderemos nisso, a fim de não faltarmos com o apoio devido à harmonia que nos cabe manter nos domínios da vida.

Se alguém lhe respondeu asperamente, se um amigo aparece incompreensivo, se aquele companheiro passou de súbito a dedicar-lhe antipatia gratuita, se aquele outro lhe abalroa as edificações espirituais, e se muitos não lhe correspondem, de leve, às esperanças, suponha semelhantes irmãos presos mentalmente a problemas irrevelados de angústia e coloque-se na posição deles, com as provas e desvantagens que experimentam, e decerto você se compadecerá de cada um, dispondo-se a auxiliá-los.

Nem sempre a voz corrente fala tudo o que vai nas almas.

Repitamos para nós que a verdadeira caridade se resume na compreensão para além das aparências dos Espíritos com os quais se convive, perdoando e ajudando silenciosa e desinteressadamente, de nossa parte, onde estejamos, como se faça necessário e tanto quanto seja possível.

13
Doações espirituais

E – Capítulo IX – Item 7
L – Questão 893

T<small>EMAS ESTUDADOS:</small>
*Aparência e realidade; bondade e madureza
de espírito; caridade material e caridade
moral; compreensão e felicidade; dádivas;
esportes da alma.*

Feliz daquele que destaca uma parcela do que possui a benefício dos semelhantes!

Bem-aventurado aquele que dá de si próprio!

Através de todos os filtros do bem, o amor é sempre o mesmo, mas, enquanto as dádivas materiais, invariavelmente benditas, suprimem as exigências exteriores, as doações de espírito interferem no íntimo, dissipando as trevas que se acumulam no reino da alma.

Dolorosa a tortura da fome, terrível a calamidade moral.

Divide o teu pão com as vítimas da penúria, mas estende fraternas mãos aos que vagueiam mendigando o esclarecimento e o consolo que desconhecem. Não precisas procurá-los, uma vez que te cercam em todos os ângulos do caminho... São amigos e por vezes te ferem com supostas atitudes de crueldade, quando apenas te esmolam conforto, comunicando-te, em forma de intemperança mental, as chamas de sofrimento que lhes calcinam os corações; categorizam-se por adversários e criam-te problemas, não por serem perversos, mas porque lhes faltam ainda as luzes do entendimento; aparecem por pessoas entediadas, que dispõem de todas as vantagens humanas para serem felizes, mas a quem falta uma voz verdadeiramente amiga, capaz de induzi-las a descobrir a tranquilidade e a alegria, por meio da sementeira das boas obras; surgem na figura de criaturas consideradas indesejáveis e viciosas, cujo desequilíbrio nada mais é que a expectativa frustrada do amparo afetivo que suplicaram em vão!...

Para atender aos que carecem de apoio físico, é preciso bondade; no entanto, para arrimar os que sofrem necessidades da alma, é preciso bondade com madureza.

Se já percebes que nem todos estamos no mesmo degrau evolutivo, auxilia com a tua palavra ou com o teu silêncio, ou com o teu gesto ou com a tua decisão no plantio da união e da concórdia, da esperança e do otimismo, no terreno em que vives!...

Compreender e compreender para a sustentação da lavoura do bem que se cobrirá de frutos para a felicidade geral.

Não te digas em solidão para fazer tanto... Refletindo em nossos deveres ante as doações espirituais, lembremo-nos de Jesus. Nos dias de fome da turba inquieta, reunia-se o divino Mestre com os amigos para beneficiar a milhares; entretanto, na hora do extremo sacrifício, quando lhe cabia socorrer as vítimas da ignorância e do ódio, da violência e do fanatismo, ele sozinho fez o donativo de si mesmo em favor de milhões.

Desportos

Se há esportes que auxiliam o corpo, há esportes que ajudam a alma...

A marcha do dever retamente cumprido.
A regata de suor no trabalho.
O exercício do devotamento ao estudo.
O salto do esforço acima dos obstáculos.
A maratona das boas obras.
O torneio da gentileza.
O mergulho no silêncio diante da injúria.
O nado da paciência nas horas difíceis.
A ginástica da tolerância perante as ofensas.
O voo do pensamento às esferas superiores.
A demonstração de resistência moral nas provas de cada dia.

Todos esses desportos do Espírito podem ser praticados em todas as idades e condições. E creia que qualquer campeonato num deles será prêmio de luz em seu coração a brilhar para sempre.

14
Em torno da irritação

E – Capítulo IX – Item 9
L – Questão 826

TEMAS ESTUDADOS:
Autotratamento; azedume nos caracteres elevados; cativeiro íntimo; disciplina e direitos individuais; irritação; manifestações pessoais.

Observação estranha, mas fato real. As ocorrências da irritação aparecem muito mais frequentemente nos caracteres enobrecidos. Espécie de enfermidade da retidão, se a retidão pudesse adoecer.

A pessoa percebe a grandeza da vida, acorda para a responsabilidade, consagra-se à obrigação e passa a prestigiar disciplina e tempo; adquirindo mais ampla noção do dever, que reconhece precisar exprimir-se irrepreensivelmente executado, supõe-se com mais vasta provisão de direitos. E, por vezes, leva mais longe que o necessário a faculdade de preservá-los e defendê-los, iniciando as primeiras formações de irascibilidade pela superestimação do próprio valor. Instalado o sentimento de autoimportância, a criatura abraça facilmente melindres e mágoas diante de lutas naturais que considera por incompreensões e ofensas alheias.

Chegando a esse ponto, as vítimas dessa perigosa síndrome, vinculada à patologia da mente, surgem perante os mais íntimos na condição de enfermos prestimosos, amados e evitados, uma vez que não se lhes pode ignorar a altura moral nem adivinhar o momento da explosão. E porque o mau humor dos Espíritos respeitáveis, pelo trabalho que exercem e pela conduta que esposam, dói muito mais que a leviandade de criaturas menos afeitas à dignidade e ao serviço, semelhantes companheiros estimáveis e preciosos são procurados tão somente em regime de exceção ou postos à margem pela gentileza dos outros, interpretados à conta de amigos temperamentais ou nervosos distintos.

Examinemos a nós mesmos.

Dirijamos para dentro da própria alma o estilete da introspecção.

Se a agressividade nos assinala o modo de ser, tratemos do caráter enfermiço com a mesma atenção com que se medica um órgão doente. E se a nossa consciência jaz tranquila na certeza de que temos procurado realizar o melhor ao nosso alcance, no aproveitamento das oportunidades que o Senhor nos concedeu, estejamos serenos na dificuldade e operosos na prática do bem, à frente de quaisquer circunstâncias, lembrando-nos de que a erva--de-passarinho asfixia de preferência as árvores nobres, e a tiririca se alastra, como verdadeira calamidade, justamente na terra boa.

Liberte a você

Lábios envenenados pelo fel da maledicência não conseguem sorrir com verdadeira alegria.

Ouvidos fechados com a cera da leviandade não escutam as harmonias intraduzíveis da paz.

Olhos empoeirados pela indiscrição não veem as paisagens reconfortantes do mundo.

Braços inertes na ociosidade não conseguem fugir à paralisia.

Mente prisioneira no mal não amealha recursos para reter o bem.

Coração incapaz de sentir a fraternidade pura não se ajusta ao ritmo da esperança e da fé.

* * *

Liberte a você de semelhantes flagelos.

Leis indefectíveis de amor e justiça superintendem todos os fenômenos do Universo e fiscalizam as reações de cada Espírito. Assim, pois, no trabalho da própria renovação, a criatura não pode desprezar nenhuma das suas manifestações pessoais, sem o que dificilmente marchará para a vanguarda de luz.

15
Na seara doméstica

E – Capítulo XIV – Item 8
L – Questão 779

TEMAS ESTUDADOS:
Crises em família; escola terrestre; função educativa do lar; laços consanguíneos; parentela; respeito mútuo.

Todos somos irmãos, constituindo uma família só perante o Senhor; mas até alcançarmos a fraternidade suprema, estagiaremos em grupos diversos, de aprendizado em aprendizado, de reencarnação em reencarnação.

Temos, assim, no cotidiano, a companhia daquelas criaturas que mais entranhadamente se nos associam ao trabalho, chamem-se esposo ou esposa, pais ou filhos, parentes ou companheiros. E por muito que se nos impessoalizem os sentimentos, somos defrontados em família pelas ocasiões de prova ou de crises em que nos inquietamos, gastando tempo e energia para vê-los na trilha que consideramos a mais certa. Se já conquistamos, porém, mais amplas experiências, é forçoso, a fim de ajudá-los, cultivar a bondade e a paciência com que, noutro tempo, fomos auxiliados por outros.

Suportamos dificuldades e desacertos para atingir determinados conhecimentos, atravessamos tentações aflitivas e, em alguns casos, sofremos queda imprevista, da qual nos levantamos somente à custa do amparo daqueles que fizeram da virtude não uma alavanca de fogo, mas sim um braço amigo, capaz de compreender e de sustentar.

Lembremo-nos, sobretudo, de que os nossos entes amados são consciências livres, quais nós mesmos. Se errados, não será lançando condenação que poderemos reajustá-los; se fracos, não é aguardando deles espetáculos de força que lhes conferiremos valor; se ignorantes, não é lícito pedir-lhes entendimento sem administrar-lhes educação; e, se doentes, não é justo esperar que testemunhem comportamento igual ao da criatura sadia sem antes suprimir-lhes a enfermidade.

Em qualquer circunstância, é necessário observar, e observar sempre, que fomos transitoriamente colocados em regime de intimidade, a fim de aprendermos uns com os outros e amparar-nos reciprocamente.

À vista disso, quando o mal se nos intrometa na seara doméstica, evitemos desespero, irritação, desânimo e ressentimento, que não oferecem proveito algum, e sim recorramos à prece, rogando à Providência divina que nos conduza e inspire por seus emissários; isso para que venhamos a agir, não conforme os nossos caprichos, e sim de conformidade com o amor que a vida nos preceitua, a fim de fazermos o bem que nos compete fazer.

Por nossa vez

Humanidades numerosas povoam os mundos siderais. Povoamos a Escola Terrestre.

* * *

Espíritos marcham em gradação infinita nos campos da evolução.
Apresentamos os resultados de nosso esforço na vida diária.

* * *

Muitos corações são mais felizes que o nosso. Almas inumeráveis esperam por nosso auxílio.

* * *

Ninguém vive desligado da supervisão divina. Somos examinados constantemente.

* * *

Há criaturas no passo inicial do progresso.
Encontramos a Perfeição infinita, agindo e servindo à frente de todos.

* * *

Hoje, o nosso vizinho pode ser visitado pela experiência difícil. Amanhã, provavelmente, será nossa vez.

* * *

A Lei julga, imparcialmente, aqueles que costumamos julgar.
Todavia, a mesma Lei avalia-nos os mínimos atos com integridade indefectível.

16
Não retardes o bem

*E – Capítulo XV – Item 10
L – Questão 912*

TEMAS ESTUDADOS:
*Amor e espontaneidade; auxílio e
oportunidade; doações e natureza;
medicação espiritual; socorro atrasado;
solidariedade e disciplina.*

A dádiva tem força de lei em todos os domínios da Criação.

A flor dá naturalmente do seu perfume, e o animal, em sistema de compulsória, oferece cooperação ao homem por meio do suor em que se consome. A criatura generosa dá concurso fraterno pelos recursos da caridade sem esperar petição alguma, e o usurário desencarnado cede, constrangido pelos mecanismos da herança, todas as posses que acumulou.

Isso ocorre porque, no fundo, todos os bens da vida pertencem a Deus, que no-los empresta, visando ao nosso próprio enriquecimento.

* * *

Desenvolve, quanto possível, a tua capacidade de auxiliar, porquanto, no tamanho de teu sentimento, podes ser o amparo material, ainda que ligeiro, no labor da beneficência; a palavra que esclarece e consola no combate da luz contra o assalto das trevas; a presença amiga que insufla a esperança ou o braço acolhedor que sustenta o companheiro atormentado pela exaustão.

Recorda, porém, que existe o momento perfeito de auxiliar, seja ele conhecido como a ocasião da necessidade, a sugestão do trabalho, o propósito de ajudar ou o impulso da intuição.

Aproveita o ensejo de ser útil com a inteligência de quem sabe que é preciso plantar hoje para colher amanhã.

Para isso, no entanto, é imperioso que te desfaças de todas as exigências. Não temas farpas de censura em torno de tua dádiva, nem taxes a tua bondade com impostos de gratidão. O amor não cobra pedágio seja a quem for que passe por ele recebendo serviço.

Ajuda com a alegria de quem se honra com a faculdade de acrescentar as alegrias de que Deus dotou o Universo; sobretudo, não permitas que a oportunidade de auxiliar se deteriore em tuas mãos. A dádiva retardada tem gosto de recusa, tanto quanto a refeição inaproveitada fere o equilíbrio do paladar.

Auxilia quanto, como, onde e sempre que possas para o erguimento do bem comum. Não esperes que a desencarnação obrigue outros a distribuir aquilo que podes dar hoje no amparo aos semelhantes, para a construção de tua própria felicidade, uma vez que tudo aquilo que damos à vida, na pessoa do próximo, é justamente aquilo que a vida nos restitui.

Modos de usar

As doações abençoadas da Misericórdia divina constituem exatos medicamentos às nossas necessidades e pedem modo particular de uso.

A inteligência exige burilamento constante no aprendizado construtivo.

A saúde, sem atividade no bem, cede lugar à moléstia.

A posse financeira não proporciona verdadeira alegria quando vive a distância do socorro fraterno.

A autoridade humana não constrói segurança para ninguém quando adota o regime de intemperança para si própria.

O prestígio social reduz-se à simples aparência se brilha sem base no esforço honesto.

O conhecimento elevado, sem trabalho digno, é acelerador do remorso.

O ninho familiar, sem o clima da concórdia, é via de acesso para o desequilíbrio geral.

Assim, o amparo da Espiritualidade Maior traz em si mesmo a sugestão para o necessário aproveitamento.

Observe, pois, a disciplina requerida na administração dos medicamentos espirituais que o Céu lhe envia, sabendo que os horários, doses e formas de emprego reclamam exatidão e persistência, boa vontade e confiança para sanarem efetivamente os males que nos espoliam a vida íntima, de modo que nos renovemos para mais altos destinos.

17
Acidentados da alma

E – Capítulo X – Item 16
L – Questão 943

TEMAS ESTUDADOS:
Bondade e discernimento; compaixão;
necessitados-problemas; problemas da dor;
provação e justiça; recuperação.

Compadeces-te dos caídos em moléstia ou desastre que apresentam no corpo comovedoras mutilações.

Inclina-te, porém, com igual compaixão para aqueles outros que comparecem diante de ti, por acidentados da alma, cujas lesões dolorosas não aparecem. Além da posição de necessitados, pelas chagas ocultas de que são portadores, quase sempre se mostram na feição de companheiros menos atrativos e desejáveis.

Surgem pessoalmente bem-postos, estadeando exigências ou formulando complicações, no entanto, bastas vezes trazem o coração sob provas difíceis; espancam-te a sensibilidade com palavras ferinas, contudo, em vários lances da experiência, são feixes de nervos destrambelhados que a doença consome; revelam-se na condição de amigos, supostos ingratos, que nos deixam em abandono nas horas de crise, mas, em muitos casos, são enfermos de espírito que se enviscam, inconscientes, nas tramas da obsessão; acolhem-te o carinho com manifestações de aspereza, todavia, estarão provavelmente agitados pelo fogo do desespero, lembrando árvores benfeitoras quando a praga as dizima; são delinquentes e constrangem-te a profundo desgosto pelo comportamento incorreto; no entanto, em múltiplas circunstâncias, são almas nobres tombadas em tentação, para as quais já existe bastante angústia na cabeça atormentada que o remorso atenaza e a dor suplicia...

Não te digo que aproves o mal sob a alegação de resguardar a bondade. A retificação permanece na ordem e na segurança da vida tanto quanto vige o remédio na defesa e sustentação da saúde. Age, porém, diante dos acidentados da alma com a prudência e a piedade do enfermeiro que socorre a contusão sem alargar a ferida.

Restaurar sem destruir. Emendar sem proscrever. Não ignorar que os irmãos transviados se encontram encarcerados em labirintos de sombra, sendo necessário garantir-lhes uma saída adequada.

Em qualquer processo de reajuste, recordemos Jesus, que, a ensinar servindo e a corrigir amando, declarou não ter vindo à Terra para curar os sãos.

Aspectos da dor

Os soluços de dor são compreensíveis até o ponto em que não atingem a fermentação da revolta, porque, depois disso, se convertem todos eles em censura infeliz aos planos do Céu.

* * *

A enfermidade jamais erra o endereço para as suas visitas.

* * *

As lágrimas, em verdade, são iguais às palavras. Nenhuma existe destituída de significação.

* * *

Somente chega a entender a vida quem compreende a dor.

* * *

A evolução regula também o sofrimento das criaturas e nelas se evidencia mais superficial ou mais profunda, conforme o aprimoramento de cada uma.

* * *

Se você pretende vencer, não menospreze a possibilidade de amargar, algumas vezes, a aflição da derrota como lição no caminho para o triunfo.

* * *

Aprende melhor quem aceita a escola da provação, porquanto, sem ela, os valores da experiência permaneceriam ignorados.

* * *

A dor não provém de Deus, uma vez que, segundo a Lei, ela é uma criação de quem a sofre.

18
Golpes duplos

E – Capítulo XVII – Item 3
L – Questão 642

Temas estudados:
Culpas imanifestas; danos indiretos; dever e direito; direito individual; ofensas dúplices; responsabilidade.

Ostensivamente, não teremos prejudicado a qualquer pessoa.

Do ponto de vista do acatamento à segurança geral, carregamos a alma tranquila.

Quantos de nós, porém, estaremos livres de remorso pelos danos indiretos que tenhamos causado?

Não subtraímos dinheiro à bolsa do próximo; entretanto, se caímos inadvertidamente em pessimismo, comunicando desânimo aos companheiros, afastamo-los de oportunidades preciosas no terreno de vantagens corretas, com as quais talvez minorassem muitas das grandes necessidades que nos rodeiam.

Não preterimos o direito de nossos irmãos nas atividades profissionais a que se afeiçoam, mas se nos prendemos com apego indébito e enfermiço a algum ou a alguns deles, desencorajando-lhes qualquer impulso à renovação, acabamos por impedir-lhes o acesso a encargos superiores nos quais teriam efetuado maior prestação de serviço em apoio da Humanidade.

Não roubamos a alegria dos semelhantes; todavia, se entramos em desespero sempre injustificável, instilamos desalento e amargura naqueles que mais amamos, aniquilando-lhes a coragem.

Não traímos a ordem, mas toda vez que desertamos, sem claro motivo, do dever que nos cabe, estragamos a confiança naqueles que nos procuram ação ou cooperação, frustrando, de algum modo, a harmonia de que carecem na sustentação da própria tranquilidade.

Ninguém é trazido a viver, sentir, imaginar e raciocinar para ocultar-se.

Cada um de nós permanece no lugar exato, a fim de realizar o melhor que pode.

Efetivamente, somos responsáveis pelo mal que praticamos e pelo bem que deixamos de fazer, sempre que dispomos de recursos para fazê-lo. E ao lado das culpas que trazemos por ofensas declaradas ou por omissões em serviço, temos ainda as que nascem dos golpes duplos que desferimos, sobre os quais raramente meditamos — aqueles do mal que causamos aos outros, depois de causá-lo a nós.

Use seus direitos

Realmente, você dispõe do direito:
de amealhar, em seu benefício, os frutos da experiência;
de guardar em silêncio a lição que lhe cabe em cada circunstância;

de reprimir os próprios gastos para atender ao culto do amor ao próximo;

de acumular os valores morais do caminho por onde passa;

de aperfeiçoar primeiramente o seu coração, antes de intentar o burilamento de outras almas;

de socorrer as vidas menos felizes que a sua própria;

de agasalhar indistintamente os desnudos do corpo e da alma;

de espalhar a sua influência na preservação da paz e da alegria;

de mostrar diretrizes superiores ao irmão de luta, colocando-se, antes de tudo, dentro delas;

de libertar-se dos preconceitos injustos sem alarmar as mentes alheias;

e de convocar aqueles com quem convive ao campo do trabalho edificante, sem exigir nem gritar, mas sim com a mensagem silenciosa de seu exemplo na sustentação do bem, com a certeza de que o dever respeitado e cumprido é o caminho justo para o direito de crescer com Jesus no serviço da felicidade geral.

19
Nas sendas do mundo

*E – Capítulo XV – Item 6
L – Questão 879*

T*EMAS ESTUDADOS:*
*Caridade e aprendizado; caridade e
destino; caridade e retribuição; o próximo e
nós; verdadeira posse; vizinhança.*

Deus, que nos auxilia sempre, permite-nos possuir para que aprendamos também a auxiliar.

* * *

Habitualmente, atraímos a riqueza e supomos detê-la para sempre, adornando-nos com as facilidades que o ouro proporciona... Um dia, porém, nas fronteiras da morte, somos despojados de todas as posses exteriores, e, se algo nos fica, será simplesmente a plantação das migalhas de amor que houvermos distribuído, creditadas em nosso nome pela alegria, ainda que precária e momentânea, daqueles que nos fizeram a bondade de recebê-las.

* * *

Via de regra, amontoamos títulos de poder e investimo-nos deles, enfeitando-nos com as vantagens que a influência prodigaliza... Um dia, porém, nas fronteiras da morte, somos despojados de todas as primazias de convenção, e, se algo nos fica, será simplesmente o saldo dos pequenos favores que houvermos articulado, mantidos em nosso nome pelo alívio, ainda que insignificante e despercebido, daqueles que nos fizeram a gentileza de aceitar-nos os impulsos fraternos.

* * *

Geralmente, repetimos frases santificantes, crendo-as definitivamente incorporadas ao nosso patrimônio espiritual, ornando-nos com o prestígio que a frase brilhante atribui... Um dia, porém, nas fronteiras da morte, somos despojados de todas as ilusões, e, se algo nos fica, será simplesmente a estreita coleção dos benefícios que houvermos feito, assinalados em nosso nome pelo conforto, ainda que ligeiro e desconhecido, daqueles que nos deram oportunidade a singelos ensaios de elevação.

* * *

Serve onde estiveres e como puderes nos moldes da consciência tranquila.

Caridade não é tão somente a divina virtude, é também o sistema contábil do Universo que nos permite a felicidade de auxiliar para sermos auxiliados.

Um dia, nas alfândegas da morte, toda a bagagem daquilo de que não necessitas ser-te-á confiscada; entretanto, as Leis divinas determinarão que recolhas, com avultados juros de alegria, tudo o que deste do que és, do que fazes, do que sabes e do que tens, em socorro dos outros, transfigurando-te as concessões em valores eternos da alma, que te assegurarão amplos recursos aquisitivos no plano espiritual.

Não digas, assim, que a propriedade não existe ou que não vale dispor disso ou daquilo.

Em verdade, devemos a Deus tudo o que temos, mas possuímos o que damos.

Vizinhos

Ampare os vizinhos sem ser indiscreto.
Discrição é caridade.

* * *

Cultue a gentileza na vizinhança.
Ajude a todos aqueles que lhe partilham a estrada para que alguém ajude você nas horas difíceis.

* * *

Respeite as ocorrências alegres ou infelizes que afetem os lares próximos.
Incêndio na casa alheia é ameaça de fogo na própria casa.

* * *

Desfaça qualquer incompreensão entre você e os irmãos do ambiente em que vive.

Todo vizinho pode ser bom se você cultivar a bondade para com ele.

* * *

Compreenda os problemas e as dificuldades de quantos caminham ao seu lado.

Os familiares são parentes do sangue, mas os vizinhos são parentes do coração.

20
O poder da migalha

*E – Capítulo XIII – Item 5
L – Questão 632*

TEMAS ESTUDADOS:
*Beneficência e coragem;
beneficência e educação; beneficência e
renovação; conhecimento do bem; timidez e
humildade; valor do auxílio espiritual.*

Não desprezes o poder da migalha na obra do auxílio.

O prato simples que partilhas com o irmão em penúria não resolve o problema da fome; entretanto, ele em si não é apenas favor providencial para quem o recebe, mas também mensagem de fraternidade expedida na direção de outras almas que se inclinarão a repartir as alegrias da mesa.

A peça de roupa com que atendes ao viajor estremunhado de frio não extingue o flagelo da nudez; todavia, ela em si não constitui apenas valioso abrigo para quem a recolhe, mas também apelo silencioso aos amigos que esperam, unicamente, um sinal de amor para se entregarem aos júbilos do serviço.

Acontece o mesmo com a moeda humilde que, ajustada à beneficência, faz pensar no valor da cooperação e com o livro edificante que, funcionando no apoio a companheiros necessitados de esclarecimento e consolo, nos obriga a meditar no impositivo da cultura espiritual.

Em muitas circunstâncias, é um gesto só de tua compreensão que salvará alguém de calamidade iminente e, em muitos casos, uma só frase de tua parte representa a segurança de comunidades inteiras.

Bem-aventurado todo aquele que estende milhões à supressão dos problemas de natureza material e bem-aventurado todo aquele que cede algo de si próprio em benefício dos outros, ainda que seja tão somente uma palavra de bênção para o conforto de uma criança esquecida.

* * *

Não desprezes o poder da migalha na obra do auxílio.

Por dádiva de sustentação e misericórdia para felizes e infelizes, sábios e ignorantes, justos e injustos, Deus entrega o Sol por atacado, mas por dom inefável capaz de conduzir as criaturas com harmonia e discernimento no rumo das perfeições divinas, Deus dá o tempo, trocado em miúdo, pelas migalhas dos minutos, iguais para todos.

O coração humano é comparável a cofre repleto de riquezas incalculáveis, e ninguém o traz impenetrável ou inacessível... Habitualmente, resistirá a golpes de martelos, à ação de gazuas e até mesmo ao impacto de explosivos e provas de fogo; mas quase sempre é a tua migalha de humildade e paciência, bondade e cooperação que simboliza a chave capaz de abri-lo.

Coragem

Coragem também é caridade.
Hesitação do conhecimento — poder à ignorância.
Debilidade da retidão — apoio ao desequilíbrio.
Decisão firme — leme seguro.
Vontade frágil — barco à matroca.
Irresolução dos bons — garantia dos maus.

* * *

Nada se realiza de útil e grande sem a coragem.

Descobertas e inventos não se consolidariam nos fastos da civilização material sem os sacrifícios daqueles que lhes hipotecaram a existência.

Harvey torturou-se até a morte a fim de provar a circulação do sangue.

Jesus não foi mais feliz, procurando revelar a verdade...

* * *

Em Doutrina Espírita, sabemos o que seja o bem, como fazer o bem, quando praticar o bem e quanto nos cabe atender ao bem, uma vez que nos achamos informados de que o maior bem para nós nasce, invariável, da obrigação nobremente cumprida de formar o bem para os outros.

Não vale pedir alheia orientação se a orientação desse modo se nos estampa, luminosa, na consciência.

Esqueçamos os antigos chavões "não sei se vou" e "não sei se posso" ante os deveres que as circunstâncias nos traçam. Timidez não é humildade.

Para que haja luz, não bastará temer a presença da sombra. É preciso acendê-la.

21
Lugar para ela

*E – Capítulo XIII – Item 11
L – Questão 886*

*Temas estudados:
Alegria e solidariedade; caridade e justiça;
caridade e lógica; caridade e ordem;
caridade e verdade; vida e responsabilidade.*

Todos nós precisamos da verdade, porque a verdade é a luz do Espírito em torno de situações, pessoas e coisas; fora dela, a fantasia é capaz de suscitar a loucura sob o patrocínio da ilusão. Entretanto, é necessário que a caridade lhe comande as manifestações para que o esclarecimento não se torne fogo devorador nas plantações da esperança.

* * *

Todos nós precisamos da justiça, porque a justiça é a lei em torno de situações, pessoas e coisas; fora dela, a iniquidade é capaz de premiar o banditismo em nome do poder. Entretanto, é necessário que a caridade lhe presida as manifestações para que o direito não se faça intolerância, impedindo a recuperação das vítimas do mal.

* * *

Todos nós precisamos da lógica, porque a lógica é a razão em si mesma em torno de situações, pessoas e coisas; fora dela, a paixão é capaz de gerar o crime à conta de sentimento. Entretanto, é necessário que a caridade lhe inspire as manifestações para que o discernimento não se converta em vaidade, obstruindo os serviços da educação.

* * *

Todos nós precisamos da ordem, porque a ordem é a disciplina em torno de situações, pessoas e coisas; fora dela, o capricho é capaz de estabelecer a revolta destruidora sob a capa dos bons intentos. Entretanto, é necessário que a caridade lhe oriente as manifestações para que o método não se transforme em orgulho, aniquilando as obras do bem.

* * *

Cultivemos a verdade, a justiça, a lógica e a ordem, buscando a caridade e reservando, em todos os nossos atos, um lugar para ela, porquanto a caridade é a força do amor, e o amor é a única força com bastante autoridade para sustentar-nos a união fraternal sob a raiz sublime da vida, que é Deus.

* * *

É por isso que Allan Kardec, cônscio de que restaurava o Evangelho do Cristo para todos os climas e culturas da Humanidade, inscreveu nos pórticos do Espiritismo a divisa inolvidável, destinada a quantos lhe abraçam as realizações e os princípios:

— Fora da caridade, não há salvação.

Em termos lógicos

Não há vida sem responsabilidade.
Todo ser tem direitos e obrigações.

* * *

Não há ação sem testemunha.
Somos participantes da Vida Universal.

* * *

Não há bem ou mal gerados espontaneamente.
Todo ato surge após o autor.

* * *

Não há erro com razão. Só a verdade é lógica.

* * *

Não há sentimentos incontroláveis.
O Espírito é o criador da própria emoção.

* * *

Não há dificuldade intransponível.
Cada aluno recebe lições conforme o entendimento que evidencia.

* * *

Não há perfeita alegria que viceje no insulamento.
A felicidade é bênção de luz que apenas medra no terreno da solidariedade.

* * *

Não há ponto final para o amor.
Amor é vida, e a vida é eternidade.

22
Na hora da crítica

E – Capítulo X – Item 19
L – Questão 938

Temas estudados:
Autoexame; diante de acusações; o que os
outros falam; o que os outros fazem;
o que os outros pensam;
reencarnação e tempo.

Salientamos a necessidade de moderação e equilíbrio ante os momentos menos felizes dos outros; no entanto, há ocasiões em que as baterias da crítica estão assestadas contra nós.

Junto de amigos e de opositores, ouvimos objurgatórias e reprimendas e, não raro, tombamos mentalmente em revolta ou depressão.

Azedume e abatimento, porém, nada efetuam de construtivo. Em qualquer dificuldade, irritação ou desânimo, apenas obscurecem situações ou complicam problemas.

Atingidos por acusação e censura, convém estabelecer minucioso autoexame. Articulemos o intervalo preciso em nossas atividades a fim de orar e refletir, vasculhando o imo da própria alma. Analisemos, sem a mínima compaixão por nós mesmos, todos os acontecimentos que nos ditam a orientação e a conduta, sopesando fatos e desígnios que motivaram as advertências em lide com rigorosa sinceridade. Se o foro íntimo nos aponta falhas de nosso lado, tenhamos suficiente coragem a fim de repará-las, seja solicitando desculpas aos ofendidos seja diligenciando meios de sanar os prejuízos de que sejamos causadores. Entanto, se nos identificamos atentos ao dever que a vida nos atribui, se intenção e comportamento nos deixam seguros quanto ao caminho exato que estamos trilhando em proveito geral e não em exclusivo proveito, saibamos acomodar-nos à paz e à conformidade. E, embora reclamação e tumulto nos cerquem, prossigamos adiante na execução do trabalho que nos compete, sem desespero e sem mágoa, convencidos de que, acima do conforto de sermos imediatamente compreendidos, vige a tranquilidade da consciência no cumprimento de nossas obrigações.

Três conclusões

O tempo concedido ao Espírito para uma reencarnação, por mais longo, é sempre curto, comparado ao serviço que somos chamados a realizar. Importante, assim, o aproveitamento das horas.

Meditemos no gasto excessivo de forças em que nos empenhamos, levianamente, no trato com assuntos da repartição de outrem.

Quantos milhares de minutos e de frases esbanjamos por décadas sem a mínima utilidade, ventilando temas e questões que não nos dizem respeito?

Para conjurar essa perda inútil, reflitamos em três conclusões de interesse fundamental.

O que os outros pensam — aquilo que os outros pensam é ideia deles. Não podemos usufruir-lhes a cabeça para imprimir-lhes as interpretações de que são capazes diante da vida.

Um indígena e um físico contemplam a luz, mantendo conceitos absolutamente antagônicos entre si.

Acontece o mesmo na vida moral. Precisamos nutrir o cérebro de pensamentos limpos, mas não está em nosso poder exigir que os semelhantes pensem como nós.

O que os outros falam — a palavra dos amigos e adversários, dos conhecidos e desconhecidos é criação verbal que lhes pertence.

Expressam-se como podem e comentam as ocorrências do dia a dia com os sentimentos dignos ou menos dignos de que são portadores.

Efetivamente, é dever nosso cultivar a conversação criteriosa; contudo, não dispomos de meios para interferir na manifestação pessoal dos entes que nos cercam, por mais caros nos sejam.

O que os outros fazem — a atividade dos nossos irmãos é fruto de escolha e resolução que lhes cabe.

Sabemos que a Sabedoria divina não nos criou para cópias uns dos outros. Cada consciência é domínio à parte.

As criaturas que nos rodeiam decerto que agem com excelentes intenções nessa ou naquela esfera de trabalho, e, se ainda não conseguem compreender o mérito da sinceridade e do serviço ao próximo, isso é problema que lhes compete e não a nós.

Fácil deduzir que não podemos fugir da ação nobilitante em benefício de nós mesmos, mas não nos compete impor nas decisões alheias, que o próprio Criador deixa livres.

À vista disso, cooperemos com os outros e recebamos dos outros o auxílio de que carecemos, acatando a todos, mas sem perder tempo com o que possam pensar, falar e fazer. Em suma, respeito para os outros e obrigação para nós.

23
Em torno da obsessão

*E – Capítulo XII – Item 6
L – Questão 531*

*Temas estudados:
Agentes do mal; brechas morais; displicência
e obsessão; instruções para a desobsessão;
pensamento positivo; vida íntima.*

O êxito do pensamento positivo depende do trabalho positivo.

O projeto de edifício importante reunirá planos magníficos, hauridos nas mais avançadas práticas da civilização; no entanto, para que se concretize, reclama o emprego de material adequado, a fim de que a obra não se transfigure em joguete de forças destrutivas.

Numa construção de cimento armado, ninguém se lembrará de colocar varas de madeira em lugar das estruturas de ferro, nem de substituir a pedra britada por taipa de mão. Para que o trabalho se defina dentro das linhas determinadas, as substâncias devem estar nas condições certas e nas posições justas.

Idênticos princípios regem o plano da alma.

Se aspiramos ao erguimento de realizações que nos respondam ao elevado gabarito dos ideais, é forçoso selecionar os ingredientes que nos constituem a vida íntima, cultivando o bem nas menores manifestações. Qualquer ação oposta comprometerá a estabilidade da organização que pretendamos efetuar.

À vista disso, cogitemos sanear emoções, ideias, palavras, atitudes e atos, por mínimos que sejam.

Todos nos referimos ao perigo dos agentes do mal que nos ameaçam; no entanto, os agentes do mal apenas dominam onde lhes favoreçamos a intromissão. E a intromissão deles, via de regra, se verifica principiando pela imprudência da brecha... Hoje, uma queixa; amanhã, um momento de azedume; cedo, uma discussão temerária; mais tarde, uma crise de angústia perfeitamente removível por meio do serviço; agora, um comentário deprimente; depois, um minuto de irritação; e, por fim, a enfermidade, a delinquência, a perturbação e, às vezes, a morte prematura.

O desastre grande, quase sempre, é a soma dos descuidos pequenos. Estejamos convencidos de que, nos processos de obsessão, acontece também assim.

Na cura da obsessão

Reconhecer no obsidiado, seja ele quem for, um familiar doente a quem se deve o máximo de consideração e assistência.

Equilibrar a palavra socorredora, dosando consolo e esclarecimento, brandura e energia.

Não desconsiderar as necessidades do corpo ante os desbaratos da alma, conjugando os recursos da medicação e do passe, da higiene e da prece.

Incluir o trabalho por agente curativo, de acordo com as possibilidades e forças do paciente.

Abolir as sugestões de medo no trato com o obsesso, evitando encorajar ou consolidar o assalto de entidades menos felizes.

Tratar os Espíritos perturbados que, porventura, se comuniquem no ambiente do enfermo não à conta de verdugos, e sim na categoria de irmãos credores de assistência e piedade.

Impedir comentários em torno da conversação desequilibrada ou deprimente dos desencarnados infelizes.

Policiar modos e frases que exteriorize, convencendo-se de que o obsidiado, não raro, representa, só por si, toda uma falange de inteligências necessitadas de reconforto e direção, conquanto invisíveis aos olhos comuns.

Evitar suscetibilidades perante supostas ofensas no clima familiar do obsidiado, entendendo que uma obsessão instalada em determinado ambiente assemelha-se, às vezes, a um quisto no corpo, deitando raízes em direções variadas.

Compreender em vez de emocionar-se.

Abster-se de tabus e rituais, cujos efeitos nocivos permanecerão na mente do obsidiado depois da própria cura.

Solicitar a cooperação de amigos esclarecidos que possam prestar auxílio ao doente.

Controlar-se.

Desinteressar-se dos sucessos da cura, tendo em mente que lhe cabe fazer o bem com discrição e humildade.

Ensinar, mas igualmente exercer a caridade, observando que, em muitos casos, o obsidiado e os que lhe compõem a equipe doméstica são pessoas necessitadas até mesmo do alimento comum.

Suprimir, quanto possível, os elementos que recordem tristeza ou desânimo, aflição ou tensão no trabalho que realiza.

Não atribuir a si os resultados encorajadores do tratamento, menosprezando a ação oculta e providencial dos bons Espíritos.

Educar o obsidiado nos princípios espíritas, encaminhando-o a um templo doutrinário em que possa assimilar as lições lógicas e simples do Espiritismo.

Socorrer sem exigir.

Amparar o companheiro necessitado sem propósitos de censura mesmo que surjam motivos aparentes que o induzam a isso, recordando que Jesus Cristo, o iniciador da desobsessão sobre a Terra, curava os obsidiados sem ferir ou condenar a nenhum.

24
Deus e caridade

*E – Capítulo XV – Item 5
L – Questão 779*

TEMAS ESTUDADOS:
*Cultivo da fé raciocinada; culto externo;
ensinamento do Cristo; felicidade íntima;
influência do Evangelho; na procura
de Deus.*

Por longos e tortuosos caminhos, temos procurado a integração com Deus.
Existências múltiplas atravessamos, forças enormes despendemos...
Julgávamos que estivesse nele a egolatria dos tiranos coroados e inventamos processos de adoração com que lhe granjeássemos a simpatia; supúnhamos homenageá-lo a grandeza com o fausto dos ritos exteriores e erigimos palácios em que lhe ofertássemos o ouro e a púrpura em forma de louvor; acreditávamos que o supremo Senhor quisesse dominar as criaturas pelo freio da violência e não hesitávamos em criar sistemas religiosos de

opressão com que se dobrasse a cerviz de quantos não pensassem pela nossa cabeça; admitíamos que fosse ele ávido de honrarias e não vacilávamos consagrar-lhe sacrifícios sanguinolentos à frente de símbolos com que lhe mentalizávamos a presença!...

Compadecendo-se de nossa ignorância, a divina Providência deliberou enviar alguém que nos instruísse nos caminhos da elevação, e Jesus, o sublime Governador do planeta terrestre, veio em pessoa explicar-nos que Deus não nos pede nem adulações, nem pompas, nem vítimas, nem holocaustos, e sim o coração inflamado de fraternidade a serviço do bem, para que a Terra se abra, enfim, à glória e à felicidade do seu reino.

Por esse motivo, o Mestre, embora respeitasse as convicções dos seus contemporâneos, esmerou-se em ensinar-nos a união com Deus, acima de tudo, por meio do socorro aos necessitados, da esperança aos tristes, do amparo aos enfermos e do alívio aos sofredores de todas as procedências... Desde então, renovadora luz clareou o espírito das nações, e a Humanidade começou a compreender que Deus, o Pai justo e misericordioso, a ninguém exclui de sua bênção e que a todos nos espera, hoje ou mais tarde, por filhos bem-amados, unidos na condição de verdadeiros irmãos uns dos outros.

É por isso que, em todos os países e em todas as crenças, em todos os templos e em todos os lares da Terra, onde se pratique realmente o Evangelho de Jesus, o culto à Providência divina começa com a caridade.

Respeite tudo

Do cultivo da crença raciocinada no santuário da inteligência, nascem os frutos substanciosos da certeza no porvir.

Da vontade de realizar o bem, surgem todos os empreendimentos duradouros no mundo.

Do esforço disciplinado e incessante, nenhuma construção pode prescindir para permanecer equilibrada na sua atividade específica.

Dos sinais vivos e puros da fraternidade no próprio semblante ninguém pode fugir se deseja alcançar a alegria real.

Da busca criteriosa do conhecimento promana a atualização e a competência do trabalhador.

Da utilização da hora presente em movimento digno decorrem a segurança e a tranquilidade merecida nas horas próximas.

Da hierarquia de valores, sustentada pelas Leis eternas, alma alguma conseguirá esquivar-se.

Da fixação do mal no leito da estrada derivam-se todas as frustrações e todas as dores que perturbam a marcha do caminheiro.

* * *

A vida constitui encadeamento lógico de manifestações, e encontramos em toda parte a sucessão contínua de suas atividades com a influenciação recíproca entre todos os seres, salientando-se que cada coisa e cada criatura procedem e dependem de outras coisas e de outras criaturas.

Assim, respeite tudo, ame a todos e confie sempre na vitória do bem, para que você possa manter os padrões da verdadeira felicidade no campo íntimo, dentro do campo ilimitado da evolução.

25
Nas crises da direção

E – Capítulo XVII – Item 9
L – Questão 876

Temas estudados:
Administração; atitude e auxílio espiritual;
deveres desagradáveis; importância da prece;
nas dificuldades da direção;
responsabilidade de orientar.

É muito fácil desinteressar-nos dos aspectos menos agradáveis do serviço necessário à preservação da verdade e do bem.

Isso acontece, principalmente, quando as consequências não nos digam respeito.

Se não temos a obrigação de inspecionar as deficiências da estrada, muito de raro em raro nos incomodamos com a brecha deixada pelo aguaceiro na base de um viaduto. Não sucede, porém, o mesmo com os responsáveis, que dobrarão esforços para remover o perigo.

Assim também no cotidiano.

Queremos tranquilidade; no entanto, surgem riscos à frente.

Somos pais... E acordamos junto de filhos carentes de amparo em forma de advertência; orientamos empresas... E verificamos omissões ante as quais o silêncio seria apoio ao desastre; exercemos funções educativas... E somos defrontados por ocorrências que comprometem a segurança da escola; administramos instituições de interesse geral... E encontramos falhas que não será lícito desdenhar com displicência, sob pena de aprovarmos a influência das trevas...

São esses os momentos mais dolorosos para os que receberam o encargo de velar por alguém ou por alguma comunidade.

Nesses trechos periclitantes do trabalho a fazer, somos frequentemente impelidos à deserção; entretanto, comandante algum é trazido a conduzir um navio a fim de abandoná-lo ao sabor das ondas em momentos difíceis.

Que fazer, todavia, nas crises inevitáveis, quando é preciso apontar e retificar, esclarecer e definir?

Nesses duros problemas, uma solução aparece, luminosa e reconfortante: nós podemos orar.

Quando te encontres em obstáculos desse matiz, não censures os companheiros que passam despreocupados ante as lutas com que arrostas, nem te acomodes com o mal sob pretexto de lealdade à harmonia. Ora sempre, fiel ao bem da verdade e à verdade do bem, mesmo que todas as circunstâncias te contrariem.

Pela prece, dar-te-á o Senhor a força justa com a medida adequada e a palavra precisa no rumo certo. Assim será sempre, porque, se a criatura dirige, Deus guia. Manejamos a vida, mas a vida é de Deus.

Sentenças da vida

Cumpra os deveres desagradáveis.
Buscar apenas o nosso deleite é comodismo crônico.

Estude e viva

* * *

Vitalize os negócios com a fraternidade pura.
O comércio não foge à ação da Providência divina.

* * *

Coloque o bem de todos acima do interesse partidário.
A senda cristã nas atividades da vida será sempre "caridade".

* * *

Esqueça as narrativas que exaltem indiretamente o erro.
A moral da história mal contada é sempre a invigilância.

* * *

Liberte-se das frases de efeito.
A palavra postiça sufoca o pensamento.

* * *

Evite o divertimento nocivo ou claramente desnecessário.
Os pés incautos encontram a queda imprevista.

* * *

Resista à desonestidade.
O critério do amor não se modifica.

* * *

Valorize os empréstimos de Deus.
Dar não significa abandonar.

* * *

Prestigie a sabedoria da Lei, obedecendo-lhe.
O auxílio espiritual não surge sem preço.

26
Crises sem dor

E – Capítulo XI – Item 11
L – Questão 685

Temas estudados:
Desencarnação e vida; expiações à vista;
insensibilidade moral; madureza física;
missão da experiência; vida e transformação.

Fáceis de reconhecer as crises abertas.
Provação exteriorizada, dificuldade à vista.
Surgem, comumente, na forma de moléstias, desencantos, acidentes ou suplícios do coração, atraindo o concurso espontâneo dos circunstantes a que se escoram as vítimas, vencendo, com serenidade e valor, tormentosos dias de angústia, como quem atravessa, sem maiores riscos, longos túneis de aflição.
Temos, porém, calamitosas crises sem dor, as que se escondem sob a segurança de superfície:
– quando nos acomodamos com a inércia, a pretexto de haver trabalhado em demasia...

— nas ocasiões em que exigimos que se nos faça o próximo arrimo indébito no jogo da usura ou no ataque da ambição...

— qualquer que seja o tempo em que venhamos a admitir nossa pretensa superioridade sobre os demais...

— sempre que nos julguemos infalíveis, mesmo desfrutando das mais elevadas posições nas trilhas da Humanidade...

— toda vez que nos acreditemos tão supostamente sábios e virtuosos que não mais necessitemos de avisos e corrigendas nos encargos que nos são próprios...

Sejam quais forem os lances da existência em que nos furtemos deliberadamente aos imperativos de autoeducação ou de auxílio aos semelhantes, estamos em conjuntura perigosa da vida espiritual, com a obrigação de esforçar-nos, intensamente, para não cair em mais baixo nível de sentimento e conduta.

Libertemo-nos dos complexos de avareza e vaidade, intransigência e preguiça que nos acalentam a insensibilidade a ponto de não registrarmos a menor manifestação de sofrimento, porquanto, de modo habitual, é por meio deles que se operam, em nós e em torno de nós, os piores desastres do Espírito, seja pela fuga ao dever seja pela queda na obsessão.

Mortos voluntários

Condicionou-se a mente humana, de maneira geral, a crer que madureza orgânica é antecâmara da inutilidade, e eis muita gente a se demitir, indebitamente, do dever que a vida lhe delegou.

Inúmeros companheiros, porque hajam alcançado aposentadoria profissional ou pelo motivo de abraçarem garotos que lhes descendem do sangue, dizem-se no paralelo final da carreira física.

Esquecem-se de que o fruto amadurecido é a garantia de toda a renovação da espécie e rojam-se, prostrados, à soleira da inércia, proclamando-se desalentados.

Falam em crepúsculo como se não contassem com a manhã do dia seguinte.

Começam qualquer comentário em torno dos temas palpitantes do presente pela frase clássica: "no meu tempo não era assim".

Enquanto isso, a vida, ao redor, é desafio incessante ao progresso e à transformação, chamando-os ao rejuvenescimento.

Filhos lhes reclamam orientação sadia, netos lhes solicitam calor da alma, amigos lhes pedem o concurso da experiência, e os irmãos da Humanidade contam com eles para novas jornadas evolutivas.

Bastará pensar, porém, que as crianças e os jovens não acertam o passo sem os mentores adestrados na experiência, peritos em discernimento e trabalho, para que não menosprezem a função que lhes cabe.

Nada de esquecer que o Espírito reencarna, atravessando as fases difíceis da infância e da juventude para alcançar a maioridade fisiológica e começar a viver do ponto de vista da responsabilidade individual.

Quanto empeço vencido e quanta ilusão atravessada para consolidar uma reencarnação, longe das praias estreitas do berço e da meninice, a fim de que o Espírito, viajor da eternidade, alcance o alto mar da experiência terrestre!

Entretanto, grande número dos felizardos que chegam ao período áureo da reflexão, com todas as possibilidades de serviço criador, estacam em suposta incapacidade, batendo à porta do desencanto como quem se compraz na volúpia da compaixão por si mesmos.

Trabalhemos por exterminar a praga do desânimo nos corações que atingiram a quadra preciosa da prudência e da compreensão.

Vida é chama eterna. Todo dia é tempo de inventar, clarear e prosseguir.

Os companheiros experientes no esforço terrestre constituem a vanguarda dos que renascem no planeta e não a chamada "velha guarda", que a rabujice de muitos imaginou para deprimir a melhor época da criatura reencarnada na Terra.

Desencarnação é libertação da alma, morte é outra coisa. Morte constitui cessação da vida, apodrecimento, bolor.

Os que desanimam de lutar e trabalhar, renovar e evoluir são os que verdadeiramente morrem, conquanto vivos, convertendo-se em múmias de negação e preguiça, e, ainda que a desencarnação passe transfiguradora por eles, prosseguem inativos na condição de mortos voluntários que recusam viver.

Acompanhemos a marcha do Sol, que diariamente cria, transforma, experimenta, embeleza. Renovemo-nos.

27
No exame do perdão

*E – Capítulo X – Item 13
L – Questão 872*

TEMAS ESTUDADOS:
Aprendizado evolutivo; balanço de consciência; Jesus e perdão; na esfera das ações humanas; problema de harmonia; reconciliação.

Observemos o ensinamento do Cristo acerca do perdão.
Note-se que o Senhor afirma convincente: "Se o vosso irmão agiu contra vós...".
Isso quer dizer que Jesus principia considerando-nos na condição de pessoas ofendidas, incapazes de ofender; ensina-nos a compreender os semelhantes, crendo-nos seguros no trato fraternal.
Nas menores questões de ressentimento, sujeitemo-nos a desapaixonado autoexame.
Quem sabe a reação surgida contra nós terá nascido de ações impensadas, desenvolvidas por nós mesmos?

Se do balanço de consciência estivermos em débito para com os outros, tenhamos suficiente coragem de solicitar-lhes desculpas, diligenciando sanar a falta cometida e articulando serviço que nos evidencie o intuito de reparação.

Se nos sentimos realmente feridos ou injustiçados, esqueçamos o mal. Na hipótese de o prejuízo alcançar-nos individualmente e tão somente a nós, reconheçamo-nos igualmente falíveis e ofertemos aos nossos inimigos imediatas possibilidades de reajuste. Se, porém, o dano em que fomos envolvidos atinge a coletividade, cabendo à justiça e não a nós o julgamento do golpe verificado, é claro que não nos compete louvar a leviandade. Ainda assim, podemos reconciliar-nos com os nossos adversários, em Espírito, orando por eles e amparando-os por via indireta, a fim de que se valorizem para o bem geral nas tarefas que a vida lhes reservou.

De qualquer modo, evitemos estragar o pensamento com o vinagre do azedume. Nem sempre conseguimos jornadear nas sendas terrestres junto de todos, porquanto, até que venhamos a completar o nosso curso de autoburilamento no instituto da evolução universal, nem todos renasceremos simultaneamente numa só família, nem lograremos habitar a mesma casa.

Sigamos, assim, de nossa parte, vida afora, em harmonia com todos, embora não possamos a todos aprovar, entendendo e auxiliando desinteressadamente aqueles diante dos quais ainda não temos o dom de agradar em pessoa e rogando a bênção divina para aqueles outros junto de quem não nos será lícito apoiar a delinquência ou incentivar a perturbação.

Memorandos

— A balança do bem não tem cópia.
— A vontade adoece, mas nunca morre.

– Quem compensa mal com mal atinge males maiores.
– O amor real transpira imparcialidade.
– O sofrimento acorda o dever.
– O remédio excessivo faz-se veneno.
– Somos todos familiares de Jesus.
– Nenhum enfeite disfarça a culpa.
– A vida não cansa o coração humilde.
– Toda convicção merece respeito.
– Só a consciência tranquila dá sono calmo.
– Emoções e ideias não existem a sós.
– O tempo não desfigura a beleza espiritual.
– Mediunidade, na essência, é cooperação mútua.
– Para o cristão, não existem dores alheias, porque as dores da coletividade pertencem a ele próprio.
– Do erro nasce a correção.
– Lábios vigilantes não alardeiam vantagens.
– A caridade é o pensamento vivo do Evangelho.

28
Na hora da fadiga

*E – Capítulo V – Item 4
L – Questão 945*

T<small>EMAS ESTUDADOS</small>:
Autossocorro; depressão nervosa; diante do cansaço; doentes da alma; obsessão oculta; remédio contra o desânimo.

Quando o cansaço te procurar no serviço do bem, reflete naqueles irmãos que suspiram pelo mínimo das facilidades que te enriquecem as mãos.

Pondera não apenas as dificuldades dos que, ainda em plenitude das forças físicas, se viram acometidos por lesões cerebrais, mas também no infortúnio dos que se acham em processos obsessivos, vinculados às trevas da delinquência.

Observa não somente a tortura dos paralíticos reclusos em leitos de provação, mas igualmente a dor dos que não souberam entender a função educativa das lutas terrestres e caminham, estrada afora, de coração enrijecido na indiferença.

Considera não apenas o suplício dos que renasceram em dolorosas condições de idiotia, reclamando o concurso alheio nas menores operações da vida orgânica, mas também o perigoso desequilíbrio daqueles que, no fastígio do conforto material, resvalam em ateísmo e vaidade, fugindo deliberadamente às realidades do Espírito.

Medita não somente na aflição dos que foram acidentados em desastres terríveis, mas igualmente na angústia dos que foram atropelados pela calúnia, tombando moralmente em revolta e criminalidade, por não saberem assimilar o benefício do sofrimento.

Quando a fadiga te espreitar a esfera de ação, pensa naqueles companheiros ilhados em padecimentos do corpo e da alma, a esperarem pelo auxílio, ainda que ligeiro, de teu pensamento, de tua palavra, de tua providência, de tuas mãos...

Se o desânimo te ameaçar, examina se o abatimento não será unicamente anseio de repousar antes do tempo, e se te reconheces conscientemente dotado de energias para ser útil, não te confies à inércia ou à lamentação.

Quando a fadiga aparecer, recorda que alguém existe a orientar-te e a fortalecer-te na execução das tarefas que o Alto te confiou; alguém com suficiente amor e poder a esperar-te os recursos e dons na construção da Vida Melhor... Esse alguém é Jesus, a quem aceitamos por Mestre e que, certa feita, asseverou, positivo, à frente dos seguidores espantados por vê-lo a servir num dia consagrado ao descanso: "Meu Pai trabalha até hoje e eu trabalho também".

Doenças-fantasmas

Somos defrontados com frequência por aflitivo problema cuja solução reside em nós.

A ele debitamos longas fileiras de irmãos nossos que não apenas infelicitam o lar onde são chamados à sustentação do equilíbrio, mas igualmente enxameiam nos consultórios médicos e nas casas de saúde, tomando o lugar de necessitados autênticos.

Referimo-nos às criaturas menos vigilantes, sempre inclinadas ao exagero de quaisquer sintomas ou impressões e que se tornam doentes imaginários, vítimas que se fazem de si mesmas nos domínios das moléstias-fantasmas.

Experimentam, às vezes, leve intoxicação, superável sem maiores esforços, e, dramatizando em demasia pequeninos desajustes orgânicos, encharcam-se de drogas, respeitáveis quando necessárias, mas que funcionam à maneira de cargas elétricas inoportunas sempre que impropriamente aplicadas.

Atingido esse ponto, semelhantes devotos da fantasia e do medo destrutivo caem fisicamente em processos de desgaste, cujas consequências ninguém pode prever, ou entram, de modo imperceptível para eles, nas calamidades sutis da obsessão oculta, pelas quais desencarnados menos felizes lhes dilapidam as forças.

Depois disso, instalada a alteração do corpo ou da mente, é natural que o desequilíbrio real apareça e se consolide, trazendo até mesmo a desencarnação precoce em agravo de responsabilidade daqueles que se entibiam diante da vida, sem coragem de trabalhar, sofrer e lutar.

Precatemo-nos contra esse perigo absolutamente dispensável.

Se uma dor aparece, auscultemos nossa conduta, verificando se não demos causa à benéfica advertência da Natureza.

Se surge a depressão nervosa, examinemos o teor das emoções a que estejamos entregando as energias do pensamento, de modo a saber se o cansaço não se resume a um aviso salutar da própria alma, para que venhamos a clarear a existência e o rumo.

Antes de lançar qualquer pedido angustiado de socorro, aprendamos a socorrer-nos pela autoanálise criteriosa e consciente.

Ainda que não seja por nós, façamos isso pelos outros, aqueles outros que nos amam e que perdem, inconsequentemente, recurso e tempo valiosos, sofrendo em vão com a leviandade e a fraqueza de que fornecemos testemunho.

Nós que nos esmeramos no trabalho desobsessivo, em Doutrina Espírita, consagremos a possível atenção a esse assunto, combatendo as doenças-fantasmas, que são capazes de transformar-nos em focos de padecimentos injustificáveis a que nos conduzimos por fatores lamentáveis de auto-obsessão.

29
Emergência

E – Capítulo XVII – Item 3
L – Questão 479

TEMAS ESTUDADOS:
Discernimento e tentação; fronteiras do processo obsessivo; lições vivas; perigos morais; profilaxia da alma; virtudes.

Perfeitamente discerníveis as situações em que resvalamos, imprevidentemente, para o domínio da perturbação e da sombra.
Enumeremos algumas delas com as quais renteamos claramente com o perigo da obsessão:
– cabeça desocupada;
– mãos improdutivas;
– palavra irreverente;
– conversa inútil;
– queixa constante;
– opinião desrespeitosa;
– tempo indisciplinado;
– atitude insincera;

– observação pessimista;
– gesto impaciente;
– conduta agressiva;
– comportamento descaridoso;
– apego demasiado;
– decisão facciosa;
– comodismo exagerado.

Sempre que nós, os lidadores encarnados e desencarnados com serviço na renovação espiritual, nos reconhecermos em semelhantes fronteiras do processo obsessivo, proclamemos o estado de emergência no mundo íntimo e defendamo-nos contra o desequilíbrio, recorrendo à profilaxia da prece.

Imagens

Egoísmo, gás mortífero, tende sempre a ocupar todo o espaço que se lhe oferece. Intoxica e faz sofrer.

Lisonja, beberagem da invigilância, adapta-se ao recipiente da intenção que a conserva. Embriaga e cria a frustração.

Sinceridade, aço moral, demonstra forma determinada e resistência própria. Útil às construções duradouras.

* * *

Construções materiais – tatuagens efêmeras na crosta ciclópica do planeta.

Construções espirituais – duradouros aperfeiçoamentos na estrutura íntima do Espírito.

* * *

Da semente brota a haste da planta.
Do ovo nasce o corpo do animal.
Da consciência desabrocha a diretriz do destino.

* * *

Bem, calor da vida.
Há bons e maus condutores de calor.
A condutibilidade do bem, entre os homens, demonstra o valor de cada um.

* * *

Virtudes aparentes – metais comuns no homem, que se alteram ante a ventania das ilusões terrenas.
Virtudes reais – metais preciosos no Espírito, que não se corrompem ante as lufadas das tentações humanas, sustentando a vida eterna.

30
Amigos modificados

E – Capítulo V – Item 20
L – Questão 938

TEMAS ESTUDADOS:
Afeições alteradas; aflições imprevistas; apelo ao raciocínio; inquietações; necessidade da simpatia; serenidade.

Surgem no cotidiano determinadas circunstâncias em que somos impelidos a reformular apreciações em torno da conduta de muitos daqueles a quem mais amamos.

Associados de ideal abraçam hoje experiências para as quais até ontem não denotavam o menor interesse, e companheiros de esperança se nos desgarram do passo, esposando trilhas outras.

Debalde procuramos neles antigas expressões de concordância e carinho uma vez que se nos patenteiam emocionalmente distantes.

Nesses dias, em que o rosto dos entes amados se revela diferente, é natural que apreensões e perguntas imanifestas nos povoem o Espírito. Abstenhamo-nos, porém, tanto de feri-los, mediante comentário desairoso, quanto de interpretar-lhes as diretrizes inesperadas à conta de ingratidão. É provável que as Leis divinas estejam a chamá-los para a desincumbência de compromissos que, transitoriamente, não se afinam com os nossos. Entendamos também que o passado é um meirinho infalível convocando-nos à retificação das tarefas que deixamos imperfeitamente cumpridas para trás, no campo de outras existências, e tranquilizemos os amigos modificados com os nossos votos de êxito e segurança, na execução dos novos encargos para os quais se dirigem. Reflitamos que, se a temporária falta deles nos trouxe sensações de pesar e carência afetiva, possivelmente o mesmo lhes acontece e, em vez de reprovar-lhes as atitudes — ainda que afastados pela força das circunstâncias —, procuremos envolvê-los em pensamentos de simpatia e confiança, a fim de que nos reencontremos, mais tarde, em mais altos níveis de trabalho e alegria.

À vista disso, pois, toda vez que corações queridos não mais nos comunguem sintonia e convivência, se alguma sugestão menos feliz nos visita a cabeça, entremos, de imediato, em oração, no ádito da alma, rogando ao Senhor que nos ilumine o entendimento, a fim de que não falhemos para eles, no auxílio da fraternidade e no apoio da bênção.

Provações de surpresa

Inquietações na Terra existem muitas.

Temos as que se demoram junto de nós, ao modo de vizinhos de muito tempo, nos desgostos de parentes e amigos, cujas dores nos pertencem de perto.

Encontramos as que nos povoam o corpo na categoria de enfermidades crônicas, quais inquilinas indesejáveis.

Assimilamos aflições de tipos diversos, como sejam as declaradas e as imanifestas, as injustificáveis e as imaginárias, cujo tamanho e propagação dependem sempre de nós.

Há, porém, certa modalidade com que raramente contamos. São aquelas que nascem de imprevisto.

Deflagraram, por vezes, quando nos acreditamos em segurança absoluta.

Caem à feição de raio fulminativo retalhando emoções ou desajustando pensamentos.

São as notícias infaustas:

– os golpes morais que nos são desferidos, não raro, involuntariamente, pelos que mais amamos;

– os desastres de consequências indefiníveis;

– os males súbitos que nos impelem para as raias das grandes renovações.

Não podemos esquecer essas visitas que nos atingem o coração sem qualquer expectativa de nossa parte.

Compreendamos que, em frequentes episódios da existência, estamos na condição de aluno que estuda semanas e meses e até mesmo anos inteiros, a fim de revelar a precisa habilitação num exame de ligeiros instantes.

Entendamos que, numa hora de crise, não são o choro nem a emotividade as posições adequadas, e sim a calma e o raciocínio lógico, para que possamos deter a incursão da sombra.

Para isso, entesouremos serenidade. Serenidade que nos sustente e nos ajude a sustentar os outros.

O imperativo de oração e vigilância não se reporta somente às impulsões ao vício e à criminalidade, mas também aos arrastamentos, ao desequilíbrio e à loucura a que estamos sujeitos quando não nos preparamos para suportar as provações de surpresa, sejam em moldes de angústia ante os desafios do mal ou em forma de sofrimento para a garantia do bem.

31
Por meio da reencarnação

*E – Capítulo XXVI – Item 8
L – Questão 168*

TEMAS ESTUDADOS:
*Amparo mediúnico; aprimoramento da
mediunidade; culpas e resgates;
reencarnação e aperfeiçoamento; tarefa
mediúnica; Terra — Planeta Educandário.*

Fora melhor que não existissem na Terra pedintes e mendigos na expectativa do agasalho e do pão.

Se é justo deplorar o atraso moral do planeta que ainda acalenta privação e necessidade, examinemos a nós mesmos, quando nos inclinamos para a ambição desvairada, e verificaremos que a penúria, por meio da reencarnação, é o ensinamento que nos corrige os excessos.

* * *

Fora melhor que não víssemos mutilados e enfermos, suplicando alívio e remédio.

Se é compreensível lastimar as condições da estância física que ainda expõe semelhantes quadros de sofrimento, observemos o pesado lastro de animalidade que conservamos no próprio ser e reconheceremos que, sem as doenças do corpo, por meio da reencarnação, seria quase impossível aprimorar as faculdades da alma.

* * *

Fora melhor que não enxergássemos crianças infelizes, suscitando angústia no lar ou piedade na via pública.

Se é natural comover-nos diante de problemas assim dolorosos, meditemos nos ódios e aversões, conflitos e contendas, que tantas vezes carregamos para além do sepulcro, transformando-nos, depois da morte, em Espíritos vingativos e obsessores, e agradeceremos às Leis divinas que nos fazem abatidos e pequeninos, por meio da reencarnação, entregando-nos ao amparo e ao arbítrio daqueles mesmos irmãos a quem ferimos noutras épocas, a fim de que nós, carecentes de tudo na infância, até mesmo da comiseração maternal que nos alimpe e conserve o organismo indefeso, venhamos, por fim, a aprender que a eterna Sabedoria nos ergueu para o amor imperecível na vida triunfante.

* * *

Terra bendita! Terra, que tanta vez malsinamos nos dias de infortúnio ou nos momentos de ignorância, nós te agradecemos as dores e as aflições que nos ofereces por espólio de nossos próprios erros e rogamos a Deus que nos fortaleça os propósitos de reajuste e aperfeiçoamento, para que, um dia, possamos retribuir-te de algum modo os benefícios que nos tens prodigalizado, por milênios de milênios, por meio da reencarnação!...

Mediunidade e psicoterapia

Os médiuns, como elementos de ligação entre a vida espiritual e o plano físico, serão sempre solicitados a dar uma palavra orientadora nas questões multiformes que afetam as pessoas que os procuram. Daí a indicação de exercitarem alguns princípios de psicoterapia e relações humanas.

A intensa vida moderna na Terra generalizou a carência de roteiros, planos, programas e observações para as criaturas deprimidas, tímidas, céticas, recalcadas e frustradas em geral.

Com você, que inicia o esforço na tarefa mediúnica, seja pelo passe, pela psicofonia, pela psicografia seja nas formas variadas de assistência aos sofredores da alma e do corpo, estudemos algumas atitudes que favoreçam a manifestação das entidades amigas, no auxílio a terceiros, pelo conselho simples e natural.

Paciência e perseverança no bem devem estar conjugadas constantemente em sua presença e expressão.

Não demonstre estranheza ou perplexidade ante as revelações ouvidas, para que não esmoreça a confiança do coração que se abre a você.

Predisponha-se, com todos os recursos do seu campo mental, à simpatia pelos irmãos que lhe pedem a opinião, sem mostrar-se superior.

Cultive invariável atenção perante as confidências alheias, testemunhando o maior interesse afetivo pela solução aos problemas do interlocutor, seja ele quem for.

Envide esforços para que a criatura exponha em pormenores e calmamente o caso que lhe motiva a preocupação, a fim de que você possa ajudá-la, por meio da mais ampla visão dos fatos.

Evite julgar ou censurar precipitadamente a quem se confia a você, mesmo com reprovações inarticuladas.

Restrinja as indagações aos assuntos e momentos absolutamente necessários.

Pesquise os postulados básicos do Espiritismo, argumentando com as ocorrências em exame sob o crivo do discernimento espírita e exaltando a responsabilidade pessoal ante a existência eterna.

Sempre que possa, indique um núcleo de serviço espiritual compatível com as afinidades e necessidades da pessoa que comparece à busca de concurso fraterno.

Resguarde em segredo aquilo que não deva ser revelado, mantendo discrição e respeito para com todos os nossos irmãos em experiência.

Jamais force resoluções taxativas, nesse ou naquele sentido, mas exponha os vários caminhos possíveis, com as suas consequências prováveis, e deixe que o livre-arbítrio dos companheiros escolha o que mais lhes convenha.

Sustente equilíbrio, entendimento e bondade em suas manifestações, para que a autoridade moral e espiritual lhe favoreça o trabalho.

Leia constantemente para melhorar seus processos de análise das almas e suas técnicas de expor as soluções mais justas, conforme o seu modo de entender.

Sobretudo, saiba que são inimagináveis as possibilidades de socorro de um encarnado confiante no Alto e consciente de seus recursos íntimos, quando ligado aos bons Espíritos que nos estendem a inspiração e o amparo da vida superior.

32
Em torno da regra áurea

*E – Capítulo XVII – Item 10
L – Questão 875*

TEMAS ESTUDADOS:
*Alertamento espírita; condomínio natural;
esnobismo e Espiritismo; espírito de equipe;
exterioridades sociais; regra áurea
e ação no bem.*

Quanto mais se adianta o progresso, mais intensamente se percebe que a vida é um condomínio.

Partilhamos, em regime de obrigatoriedade, o ar ambiente e a luz solar, que nunca estiveram sob nosso controle. E, em nos referindo aos bens que retemos na Terra, quando na condição de Espíritos encarnados, à medida que solucionamos as grandes questões de interesse coletivo, quais as da justiça, da economia, do trabalho, da provisão ou da moradia, mais impelidos nos reconhecemos a observar o direito dos outros.

Seja num edifício de apartamentos seja numa fila de compras, as nossas conveniências estão sujeitas à tranquilidade dos vizinhos.

Numa oficina, quanto mais importante se mostre, a produção apenas surge no rendimento preciso se mantida na forma da música orquestral, atribuindo-se a cada instrumento a responsabilidade que lhe compete.

Civilização e cultura baseiam-se no espírito de equipe, com a interdependência de permeio.

Princípios idênticos prevalecem no reino da alma, convocando-nos o livre-arbítrio ao levantamento da segurança e da felicidade de todos aqueles que nos comungam a experiência.

Sem nenhuma pretensão de natureza política, a Doutrina Espírita funciona, atualmente, no campo religioso da Humanidade, por mecanismo providencial de alertamento, induzindo-nos ao concurso natural e espontâneo na edificação do bem comum. Por séculos e séculos, conservamos no mundo ignorância e carência, guerra e criminalidade, em nome da vontade de Deus; entretanto, o Espiritismo, restaurando a mensagem do Cristianismo, que veio estabelecer a fraternidade entre os homens, pergunta a cada um de nós se estaríamos realmente certos de viver sob a vontade de Deus, se formássemos entre as vítimas da penúria e das trevas de Espírito.

Vivemos agora gigantesco empreendimento de renovação.

Usemos todas as nossas possibilidades, sejam elas recursos ou aptidões, na construção dos tempos novos.

Solidariedade e cooperação, entendimento e concórdia, amor a deslocar-se da teoria para erguer-se na vida prática.

A regra áurea, para complementar-se devidamente, não se restringe à estrutura negativa, "não faças a outrem aquilo que não desejas", e sim exige plena observância da forma positiva em que se expressa: "é preciso fazer aos outros tudo aquilo que desejamos nos seja feito".

Esnobismo

Um exotismo existe que ameaça as fileiras espíritas sem ser qualquer das excentricidades que aparecem no movimento doutrinário, à conta de extravagância marginal.

Disparate talvez pior, porquanto, se nas atividades paralelas ao caminho real da ideia espírita somos impelidos a reconhecer muita gente caracteristicamente sincera nas intenções louváveis, nessa outra esquisitice vamos encontrar para logo a máscara de atitudes e maneiras em desacordo com os princípios arejados da Nova Revelação.

Reportamo-nos ao esnobismo, que comparece, muita vez, em nossas formações qual praga enquistada em plantação valiosa.

Companheiros que se deixam vencer por semelhante prejuízo fornecem, em pouco tempo, os sinais que lhe são consequentes.

Continuam espíritas e afirmam-se espíritas, mas começam afetando ter orientação de natureza superior, passando a excessiva admiração pelas novidades em voga. E, desprevenidamente, sem maior atenção pelos ensinos da Doutrina que abraçam, cristalizam despropósitos no modo de ser.

Habitualmente, apaixonam-se por exterioridades sociais e escolhem classe determinada para frequentar.

Isolam-se em grupo segregacionista, conquanto se suponham representantes da mais alta ortodoxia em matéria de opinião.

Acreditam muito mais em títulos transitórios do academicismo e em facilidades econômicas do que no valor substancial das pessoas.

Estimam espetáculos acima de serviço e evidenciam apreço além do que é justo aos medalhões do mundo, à medida que se fazem mais distantes e envergonhados de quaisquer relações com os humildes.

Estão sempre dispostos a ordenar no trabalho em assuntos de organização, horário, local e condições, sem permitir que o trabalho os comande nas disposições e disciplinas com que foi estabelecido.

Nas obras de beneficência, tratam irmãos em penúria como se fossem párias sociais, ao passo que se inclinam reverentes perante qualquer figura de relevo mundano de mérito duvidoso.

Nós, os espíritos desencarnados e encarnados, devemos estar de sentinela contra semelhante absurdo.

O esnobismo — repetimos — é parasito destruidor na árvore de nossos princípios e realizações.

Vigiemo-nos. Imitemos o lavrador correto que zela pela própria lavoura e, se o esnobismo surge sorrateiro em nossas atividades, procuremos, de imediato, dar o fora com ele.

33
Perdão e nós

E – *Capítulo IX – Item 5*
L – *Questão 887*

T*EMAS ESTUDADOS:*
Conformidade; indulgência; Jesus e resignação; perdão no cotidiano; resignação e paciência; tolerância.

Habitualmente, consideramos a necessidade do perdão apenas quando alvejados por ofensas de caráter público no intercurso das quais recebemos tantos testemunhos de solidariedade na esfera dos amigos que nos demoramos hipnotizados pelas manifestações afetivas a deixar-nos em mérito duvidoso.

A ciência do perdão, todavia, tão indispensável ao equilíbrio quanto o ar é imprescindível à existência, começa na compreensão e na bondade perante os diminutos pesares do mundo íntimo.

Não apenas desculpar todos os prejuízos e desvantagens, insultos e desconsiderações maiores que nos atinjam a pessoa, mas suportar com paciência e esquecer completamente, mesmo nos comentários mais simples, todas as pequeninas injustiças do cotidiano, quais sejam:

– a observação maliciosa;
– a referência pejorativa;
– o apelo sem resposta;
– a gentileza recusada;
– o benefício esquecido;
– o gesto áspero;
– a voz agressiva;
– a palavra impensada;
– o sorriso escarnecedor;
– o apontamento irônico;
– a indiscrição comprometedora;
– o conceito deprimente;
– a acusação injusta;
– a exigência descabida;
– a omissão injustificável;
– o comentário maledicente;
– a desfeita inesperada;
– o menosprezo em família;
– a preterição sob qualquer aspecto;
– o recado impiedoso...

Não nos iludamos em matérias de indulgência.

Perdão não é recurso tão somente aplicável nas grandes dores morais, à feição do traje a rigor, unicamente usado em horas de cerimônia. Todos somos suscetíveis de erro e, por isso mesmo, perdão é serviço de todo instante, mas, assim como o compositor não obtém a sinfonia sem passar pelo solfejo, o perdão não existe, de nossa parte, ante os agravos grandes, se não aprendemos a relevar as indelicadezas pequenas.

Resignação e resistência

De fato, há que se estudar a resignação para que a paciência não venha a trazer resultados contraproducentes.

Um lavrador suportará corajosamente aguaceiro e granizo na plantação, mas não se acomodará com gafanhoto e tiririca.

Habitualmente, falamos em tolerância como quem procura esconderijo à própria ociosidade. Se nos refestelamos em conforto e vantagens imediatas no império da materialidade passageira, que nos importam desconforto e desvantagens para os outros?

Esquecemo-nos de que o incêndio vizinho é ameaça de fogo em nossa casa e, de imprevisto, irrompem chamas junto de nós, comprometendo-nos a segurança e fulminando-nos a ilusória tranquilidade.

Todos necessitamos ajustar a resignação no lugar certo.

Se a lei nos apresenta um desastre inevitável, não é justo nos desmantelemos em gritaria e inconformação. É preciso decisão para tomar os remanescentes e reentretecê-los para o bem no tear da vida.

Se as circunstâncias revelam a incursão do tifo, não é compreensível cruzar os braços e deixar campo livre aos bacilos.

Sempre aconselhável a revisão de nossas atitudes no setor da conformidade.

Como reagimos diante do sofrimento e diante do mal?

Se aceitamos penúria, detestando trabalho, nossa pobreza resulta de compulsório merecimento.

Civilização significa trabalho contínuo contra a barbárie.

Higiene expressa atividade infinitamente repetida contra a imundície.

Nos domínios da alma, todas as conquistas do ser, no rumo da sublimação, pedem harmonia com ação persistente para que se preservem.

Paz pronta ao alarme. Construção do bem com dispositivo de segurança.

Serenidade é constância operosa; esperança é ideal com serviço.

Ninguém cultive resignação diante do mal declarado e removível, sob pena de agravá-lo e sofrer-lhe a clava mortífera.

Estudemos resignação em Jesus Cristo. A cruz do Mestre não é um símbolo de apassivamento à frente da astúcia e da crueldade e sim mensagem de resistência contra a mentira e a criminalidade mascaradas de religião, num protesto firme que perdura até hoje.

34
Amparo espiritual

E – Capítulo XVIII – Item 16
L – Questão 167

T<small>EMAS ESTUDADOS</small>:
*Codificação com Jesus; criação de harmonia;
criação de progresso; instrução pelo exemplo;
orientação espontânea; vanguarda espiritual.*

No plano físico, onde apareça a cultura social, multiplicam-se dispositivos de segurança contra desastres.

Isso, porém, deve igualmente ocorrer no reino da alma.

Se já acordaste para o conhecimento superior, caminhas à frente com a função de guiar.

Convence-te de que quanto mais se te amplie o aperfeiçoamento íntimo, mais dilatado o número dos olhos e dos ouvidos que te procuram ver e escutar, uma vez que todos aqueles que se afinam contigo, em subalternidade espiritual, passam, mecanicamente, à condição de aprendizes que te observam.

Não te descuides, pois, do amparo aos que te acompanham no educandário da vida, entendendo-se que existem quedas de pensamento determinando lamentáveis acidentes de espírito.

Em toda situação, seleciona palavras e atitudes que possam efetivamente ajudar.

Ante as falhas alheias, não procedas irrefletidamente, censurando ou aprovando isso ou aquilo, sem análise justa, a pretexto de assegurar a harmonia, mas define-te com bondade, providenciando corretivos aconselháveis, sem alarde e sem aspereza.

Se aparece a necessidade de advertência ou repreensão, já que toda escola respeitável reclama disciplina, oferece o próprio exemplo no dever retamente cumprido, antes de falar, e, falando, escolhe, tanto quanto seja possível, lugar, tempo e maneira, segundo os comprometimentos havidos na causa do bem comum.

Lendo noticiários calamitosos ou livros indesejáveis, destaca os assuntos que te pareçam dignos de apreço e examina-os com os irmãos do teu nível de experiência, evitando comentários inconvenientes com os amigos de entendimento imaturo.

Espalhando publicações ou divulgando-as, consagra atenção apenas àquelas suscetíveis de beneficiar os leitores.

Diante de todas as divergências, conflitos, desesperos e inquietações, articula ideias de paz e pronuncia frases de paz, sem desconhecer que todos nos achamos em luta incessante contra o mal, e que nenhuma pessoa realmente esclarecida pode acreditar-se em ilusória neutralidade. Pacifica os outros, com tua cooperação despretensiosa e espontânea na formação da tranquilidade alheia, sem enganar a ninguém com a expectativa de um sossego que só existe naqueles que fogem das próprias obrigações e que nunca se previnem contra a desordem.

Administra, onde estiveres, o auxílio espiritual com a alavanca do próprio equilíbrio. Vigilância sem violência. Calma sem preguiça. Consolo sem mentira. Verdade sem drama.

Se já sabes o que deves fazer, no plano da alma, trazes o coração chamado a instruir, e um professor verdadeiro, enxergando mais longe, não apenas informa e ensina, mas também socorre e vela.

Semeadores de esperança

Possivelmente, não terás pensado ainda no verbo formoso e grave a que todos somos chamados: criar para o progresso.

O Criador, ao dotar-nos de razão, a nós, criaturas, conferiu-nos o poder de imaginar, promover, originar, produzir.

Referimo-nos frequentemente à lei de causa e efeito. Sabemos que ela funciona em termos de exatidão. Utilizamo-la, quase sempre, tão só para justificar sofrimentos, esquecendo-lhe a possibilidade de estabelecer alegrias.

Causamos isso ou aquilo, geramos acontecimentos determinados. Experimentemos essa força que nos é peculiar, na formação de circunstâncias favoráveis aos homens.

Antes do comboio a vapor, a eletricidade já existia. Os transportes arrastavam-se pela tração, mas foi preciso que alguém desejasse criar na Terra a locomotiva, que se converteu a pouco e pouco no trem elétrico, a fim de que a civilização aprimorasse os sistemas de condução que prosseguem para mais altas expressões evolutivas.

O firmamento era vasculhado pelos olhos humanos há milênios, mas foi necessário que um astrônomo inventasse lentes, para que os povos recolhessem as preciosas informações do Universo, que já havia antes deles.

O princípio é idêntico para a vida moral.

Precisamos hoje, e em toda parte, dos criadores de harmonia doméstica e social, dos desenhistas de pensamentos certos, dos escultores de boas obras.

O tempo nos ensinará a entender a necessidade básica de se criarem condições para o entendimento mútuo, como já se estabeleceram normas para o trânsito fácil do automóvel.

Inventa em tua existência soluções de conforto, suscita motivos de paz, traça diretrizes de melhoria, faze o que ainda não foi aproveitado na realização da riqueza íntima de todos.

Provavelmente, estamos na atualidade em estágio obscuro de lições, sob a atuação imperiosa de ações passadas. Mas não nos será correto esquecer que somos inteligências com raciocínio claro e que, se antigamente nos foi possível colocar em ação as causas que neste momento e neste local nos infelicitam, retemos conosco a sublime faculdade de idear, planejar e construir.

Ajamos na construtividade de Jesus, sejamos semeadores de esperança.

35
Ambiente espiritual

E – Capítulo XII – Item 3
L – Questão 524

TEMAS ESTUDADOS:
Colaboração com os benfeitores espirituais;
combate à obsessão; força do pensamento;
harmonização; influenciação espiritual
destrutiva; necessidade de recuperação.

Há, sem dúvida, uma tarefa especial, particularmente destinada aos espíritas, à margem das obrigações que lhes são peculiares: a formação de ambiente adequado ao trabalho edificante dos bons Espíritos.

Conscientes de que somos sustentados por legiões de instrutores domiciliados em planos sublimes e informados de que eles se propõem a amparar a Humanidade, será justo relegar tão somente a médiuns e fenômenos a cooperação com eles? Aliás, é necessário considerar que a mediunidade deve ser laboriosamente burilada, a fim de refleti-los, e que os fenômenos quase sempre se perdem na cinza da dúvida ou na corrente tumultuária da discussão.

Todos nós estamos convocados a colaborar com os Mensageiros do Senhor, notadamente no sentido de prepará-lhes ambiente favorável à manifestação.

Para isso, principiemos por banir do cérebro toda ideia de crueldade, violência, pessimismo, azedume... Diante de qualquer pessoa, sintamo-nos à frente de criatura irmã que aguarda de nossa parte o amor com que fomos quinhoados pela Providência divina.

No repouso ou na atividade, no lar ou na via pública, atendamos à harmonização e à serenidade. Conversando, evitemos imagens de irritação ou maledicência. Fujamos de repisar comentários em torno de escândalos e crimes, detendo-nos em casos escabrosos apenas o tempo imprescindível ao esclarecimento da verdade, sem converter a sinceridade em botija de fel. Comuniquemos alegria e confiança aos que convivem conosco. Tenhamos a coragem de praticar o bem que apregoamos, buscando com diligência a ocasião de servir.

Se surge o impositivo de alguma retificação em nosso círculo de trabalho, coloquemo-nos no lugar do corrigido para que a brandura nos aconselhe, e, doando algo, situemo-nos na posição de quem recebe, para que a vaidade não se nos insinue na plantação de solidariedade.

É forçoso recordar, sobretudo, que os alicerces de qualquer ambiente espiritual começam nas forças do pensamento.

Todos nós, os desencarnados e encarnados que nos vinculamos à seara espírita-cristã, contamos com o apoio dos Instrutores da Vida Maior. Isso é mais que natural, ante as necessidades que nos assinalam a senda, mas não nos será lícito esquecer que eles também esperam por nosso auxílio, a fim de que possam mais amplamente auxiliar.

Influenciações espirituais sutis

Sempre que você experimente um estado de espírito tendente ao derrotismo, perdurando há várias horas, sem causa orgânica ou moral de destaque, avente a hipótese de uma influenciação espiritual sutil.

Seja claro consigo para auxiliar os mentores espirituais a socorrer você. Essa é a verdadeira ocasião da humildade, da prece, do passe.

Entre os fatores que mais revelam essa condição da alma, incluem-se:

– dificuldade de concentrar ideias em motivos otimistas;

– ausência de ambiente íntimo para elevar os sentimentos em oração ou concentrar-se em leitura edificante;

– indisposição inexplicável, tristeza sem razão aparente e pressentimentos de desastre imediato;

– aborrecimentos imanifestos por não encontrar semelhantes ou assuntos sobre quem ou o que descarregá-los;

– pessimismos sub-reptícios, irritações surdas, queixas, exageros de sensibilidade e aptidão a condenar quem não tem culpa;

– interpretação forçada de fatos e atitudes suas ou dos outros que você sabe não corresponder à realidade;

– hiperemotividade ou depressão raiando na iminência de pranto;

– ânsia de investir-se no papel de vítima ou de tomar uma posição absurda de automartírio;

– teimosia em não aceitar, para você mesmo, que haja influenciação espiritual consigo, mas, passados minutos ou horas do acontecimento, vêm-lhe a mudança de impulsos, o arrependimento, a recomposição do tom mental e, não raro, a constatação de que é tarde para desfazer o erro consumado.

São sempre acompanhamentos discretos e eventuais por parte do desencarnado e imperceptíveis ao encarnado pela finura do processo.

O Espírito responsável pode estar tão inconsciente de seus atos que os efeitos negativos se fazem sentir como se fossem desenvolvidos pela própria pessoa.

Quando o influenciador é consciente, a ocorrência é preparada com antecedência e meticulosidade, às vezes, dias e semanas antes do sorrateiro assalto, marcado para a oportunidade de encontro em perspectiva, conversação, recebimento de carta, clímax de negócio ou crise imprevista de serviço.

Não se sabe o que tem causado maior dano à Humanidade: se as obsessões espetaculares, individuais e coletivas, que todos percebem e ajudam a desfazer ou isolar, ou se essas meio-obsessões de quase-obsidiados, despercebidas, contudo bem mais frequentes, que minam as energias de uma só criatura incauta, mas influenciando o roteiro de legiões de outras.

Quantas desavenças, separações e fracassos não surgem assim?

Estude em sua existência se nessa última quinzena você não esteve em alguma circunstância com características de influenciação espiritual sutil. Estude e ajude a você mesmo.

36
O espírita na equipe

E – Capítulo XVII – Item 4
L – Questão 717

TEMAS ESTUDADOS:
Auxílio e oportunidade; concurso necessário; equipe de ação espírita; receber e dar; supérfluo e fraternidade; templo espírita.

Numerosos companheiros estarão convencidos de que integrar uma equipe de ação espírita se resume em presenciar os atos rotineiros da instituição a que se vinculam e resgatar singelas obrigações de feição econômica. Mas não é assim. O espírita, no conjunto de realizações espíritas, é uma engrenagem inteligente com o dever de funcionar em sintonia com os elevados objetivos da máquina.

Um templo espírita não é simples construção de natureza material. É um ponto do planeta onde a fé raciocinada estuda as leis universais, mormente no que se reporta à consciência e à justiça, à edificação do destino e à imortalidade do ser. Lar de esclarecimento e consolo, renovação e solidariedade, em cujo equilíbrio cada coração que lhe compõe a estrutura moral se assemelha à peça viva de amor na sustentação da obra em si. Não bastará frequentar-lhe as reuniões. É preciso auscultar as necessidades dessas mesmas reuniões, oferecendo-lhes solução. Respeitar a orientação da casa, mas também contribuir de maneira espontânea com os dirigentes na extinção de censuras e rixas, perturbações e dificuldades, tanto quanto possível no nascedouro, a fim de que não se convertam em motivos de escândalo. Falar e ouvir construtivamente. Efetuar tarefas consideradas pequeninas, como sossegar uma criança, amparar um doente, remover um perigo ou fornecer uma explicação, sem que, para isso, haja necessidade de pedidos diretos. Sobretudo, na organização espírita, o espírita é chamado a colaborar na harmonia comum, silenciando melindres e apagando ressentimentos, estimulando o bem e esquecendo omissões no terreno da exigência individual.

Todos nós, encarnados e desencarnados, compareçemos no templo espírita no intuito de receber o concurso dos Mensageiros do Senhor; no entanto, os Mensageiros do Senhor esperam igualmente por nosso concurso, no amparo a outros, e a nossa cooperação com eles será sempre, acima de tudo, trabalhar e servir, auxiliar e compreender.

Depois

Depois de ouvir a palestra esclarecedora, cultive-a junto dos companheiros ausentes.

Ensinamento ouvido, riqueza de aprendizado.

* * *

Depois da notícia edificante, transmita-a sem demora aos irmãos carecentes de estímulo.

Ânimo levantado, rendimento em serviço.

* * *

Depois de ler a publicação doutrinária, passe-a adiante, clareando outras consciências.

Palavra escrita, ideia gravada.

* * *

Depois de entender as frases do livro edificante, imprima-as no próprio verbo.

Estudo assimilado, conversação enobrecida.

* * *

Depois de reconhecer o próprio erro, conserve a experiência, divulgando-a no instante oportuno.

Queda de alguém, apelo a muitos.

* * *

Depois de observar o acontecimento digno de atenção, saliente o aviso que ficou.

Fato proveitoso, lição da vida.

* * *

Depois de substituir o objeto usado por outro novo, conduza-o a mãos em maiores necessidades.

Traste velho na frente, auxílio na retaguarda.

* * *

Depois de um dia, de uma tarefa, de uma crise, de uma enfermidade, de uma viagem ou de um encontro, algo se modifica em nosso Espírito para melhor e devemos ofertar aos outros o melhor ao nosso alcance, sem deixar qualquer auxílio para depois.

37
Médiuns iniciantes

E – Capítulo XIX – Item 10
L – Questão 798

Temas estudados:
Aprendizado mediúnico; assistência aos
médiuns; deveres na tribuna espírita;
disciplina; palavra espírita; trabalho
e discernimento.

No intercâmbio espiritual, encontramos vasto grupo de companheiros, carecedores de especial atenção — os médiuns iniciantes.

Muitas vezes, fascinados pelo entusiasmo excessivo, diante do impacto das revelações espirituais que os visitam de jato, solicitam o entendimento e o apoio dos irmãos experimentados para que não se percam em engodos brilhantes.

Induzamo-los a reconhecer que estamos todos à frente dos Espíritos generosos e sábios, à feição de cooperadores, perante autoridades de serviço, que nos esperam o concurso eficiente e espontâneo.

Não nos compete avançar sem a devida preparação, conquanto supervisionados por mentores respeitáveis e competentes.

Tanto quanto para nós outros, para cada médium, urge o dever de estudar para discernir e trabalhar para merecer.

Tão só porque os seareiros da mediunidade revelem facilidades para a transmissão de observações e mensagens, isso não os exime da responsabilidade na apresentação, condução e aplicação dos assuntos de que se tornam intérpretes. Indispensável se capacitem de que a morte não altera a personalidade humana de modo fundamental. Acesso à esfera dos seres desencarnados, ainda jungidos ao plano físico, é semelhante ao ingresso em praça pública da própria Terra, onde enxameiam inteligências de todos os tipos.

Admitido a construções de ordem superior, o médium é convidado ao discernimento e à disciplina, para que se lhe aclarem e aprimorem as faculdades, cabendo-lhe afastar-se do "tudo querer" e do "tudo fazer" a que somos impelidos, nós todos, quando imaturos na vida, pelos que se afazem à rebeldia e à perturbação.

Ajudemos os médiuns iniciantes a perceber que na mediunidade, como em qualquer outra atividade terrestre, não há conhecimento real onde o tempo não consagrou a aprendizagem e que todos os encargos são nobres onde a luz da caridade preside as realizações.

Para esse fim, conduzamo-los a se esclarecerem nos princípios salutares e libertadores da Doutrina Espírita.

Médiuns para fenômenos surgem de toda parte e de todas as posições. Médiuns para a edificação do aprimoramento e da felicidade, entre as criaturas, são apenas aqueles que se fazem autênticos servidores da Humanidade.

Algumas atitudes que o orador espírita deve evitar

Falar sem antes buscar a inspiração dos bons Espíritos pelos recursos da prece.

Desprezar as necessidades dos circunstantes.

Empregar conceitos pejorativos, denotando desrespeito ante a condição dos ouvintes.

Introduzir azedume e reclamações pessoais nas exposições doutrinárias.

Atacar as crenças alheias, conquanto se veja na obrigação de cultivar a fé raciocinada, sem endosso a ritos e preconceitos.

Esquecer as carências e as condições da comunidade a que se dirige.

Censurar levianamente as faltas do povo e desconhecer o impositivo de a elas se referir, quando necessário, a fim de corrigi-las com bondade e entendimento.

Situar-se em plano superior como quem se dirige do alto para baixo.

Adotar teatralidade ou sensacionalismo.

Veicular consolo em bases de mentira ou injúria em nome da verdade.

Ignorar que os incrédulos ou os adventícios do auditório são irmãos igualmente necessitados de compreensão quais nós mesmos.

Fugir da simplicidade.

Colocar frases brilhantes e inúteis acima da sinceridade e da lógica.

Nunca encontrar tempo para estudar de modo a renovar-se com o objetivo de melhor ajudar aos que ouvem.

Ensinar querendo aplausos e vantagens para si, esquecendo-se do esclarecimento e da caridade que deve aos companheiros.

"Ide e pregai o Reino de Deus", conclamou-nos o Cristo. E o Espiritismo, que revive o Evangelho do Senhor, nos ensina como pregar a fim de que a palavra não se faça vazia e a fé não seja vã.

38
Espíritas em família não espírita

E – Capítulo XIV – Item 9
L – Questão 208

Temas estudados:
Deveres dos pais; equipe doméstica; escola do lar; família e obrigação; pais terrestres; reajustamento.

Dos temas relacionados a grupos consanguíneos, temos a considerar um dos mais importantes para nós outros, qual seja aquele dos companheiros espíritas ligados a familiares que ainda não conseguem aceitar os ensinamentos do Espiritismo.

Frequentemente, os amigos incursos nessa prova recorrem ao mundo espiritual pedindo orientação. Suspiram por ambiente que lhes seja próprio aos ideais, querem afetos que lhes incentivem as realizações e, porque o mundo espiritual lhes respeite o livre-arbítrio, contornando-lhes os problemas sem ferir-lhes a iniciativa, muitos deles entram em dúvida, balançando o coração entre o anseio de fuga e o acatamento ao dever.

O espírita, porém, comprometido com os parentes não espíritas, permanece acordado para as realidades da reencarnação; sabe que ninguém assume obrigações à revelia do foro íntimo e que ninguém renasce sem motivo, nessa ou naquela equipe familiar. Seja atendendo a exigências de afinidade, escolha, expiação ou tarefa específica, o Espírito reencarna ou trabalha junto daqueles com quem lhe compete evoluir, aprimorar-se, quitar-se, desincumbir-se de certos encargos ou atender a programas de ordem superior e, por isso, não dispõe do direito de deserção da oficina doméstica, tão só porque aí não encontre criaturas capazes de lhe partilharem os sonhos de elevação. Aliás, exatamente aí, na forja de inquietantes conflitos sentimentais, é que se edificará para a ascensão a que aspira.

Cônjuge difícil, pais incompreensivos, irmãos-enigmas ou filhos-problemas constituem na Terra o corpo docente de que necessitamos na escola familiar. Com eles e por eles é que avaliamos as nossas próprias claudicações de modo a corrigi-las.

Indiscutivelmente, em explanando assim, não induzimos companheiro algum a compartilhar criminalidade em nome de obrigação.

Porque estejamos vinculados a alguém, não estamos constrangidos à insensatez que esse alguém se decida a cultivar.

Desejamos unicamente ponderar que não é razoável abandonar ou interromper ajustes edificantes sem que a nossa consciência esteja em paz com o dever cumprido.

Sempre que nos reconheçamos desambientados na família do mundo, à face dos princípios espíritas que os entes queridos não se mostrem, de imediato, dispostos a abraçar, estamos na posição do devedor entre credores vários, com a valiosa possibilidade de ressarcir nossos débitos, ou na condição do aluno em curso intensivo de burilamento individual, com a bendita oportunidade de adquirir atestados de competência, em diversas lições.

Pontos perigosos para os pais

Desconsiderar a importância do exemplo na escola do lar.

Ignorar que os filhos chegam à reencarnação por meio deles, sem serem deles.

Transformar as crianças em bibelôs da família, fugindo de ajudá-las na formação do caráter desde cedo.

Ajudar os filhos inconsideradamente tanto quanto sobrecarregá-los de obrigações incompatíveis com a saúde ou a disposição que apresentem.

Distanciar-se da assistência necessária aos pequeninos sob pretexto de poderem remunerar empregados dignos, mas incapazes de substituí-los nas responsabilidades que receberam.

Desconhecer que os filhos são Espíritos diferentes, portadores da herança moral que guardam em si mesmos, por remanescentes felizes ou infelizes de existências anteriores.

Desejar que os filhos lhes sejam satélites, olvidando que eles caminham na trajetória que lhes é peculiar, com pensamentos e atitudes pessoais.

Desinteressar-se dos estudos que lhes dizem respeito.

Relegar-lhes as mentes às superstições e fantasias, sem prestar-lhes explicações honestas em torno do mundo e da vida.

Não lhes pedir trabalho e cooperação na medida das possibilidades.

Conceder-lhes mesadas e facilidades sem espírito de justiça.

Incentivá-los à superestimação do próprio valor sob a desculpa de serem inteligentes.

Cultivar preferências.

Acolher intrigas.

Repreender por simples capricho ou deixar de corrigir quando necessário.

Forçá-los a receber preconceitos e tradições.

Impor-lhes determinada carreira profissional sem observar-lhes as tendências.

Obrigá-los a casar ou deixar de casar como também frustrar-lhes a liberdade de escolha da companheira ou do companheiro.

Não auxiliá-los na independência de que carecem para seguir a trilha justa.

Esquecer que os filhos são associados de experiência e destino, credores ou devedores, amigos ou adversários de encarnações do pretérito próximo ou distante, com os quais nos reencontraremos na Vida Maior, na condição de irmãos uns dos outros, ante a paternidade de Deus.

39
Espíritas, meditemos

E – Capítulo XXIV – Item 15
L – Questão 801

Temas estudados:
Edificação espírita; emancipação espiritual;
firmeza de atitudes; impositivo da ação;
missão do templo espírita; valores afetivos.

Um templo espírita é, na essência, um educandário em que as leis do ser, do destino, da evolução e do Universo são examinadas claramente, fazendo luz e articulando orientação, mas, por isso, não deve converter-se num instituto de mera preocupação academicista.

Manterá o simpósio dos seareiros experientes sempre que necessário, mas não o situará por cima da obra de evangelização popular.

Alentará a tribuna em que o verbo primoroso lhe honorificará os princípios diante de assembleias cultas e atentas; contudo, não se esquecerá do entendimento fraternal, de coração para coração, em que os companheiros mais sábios se disponham, pacientemente, a responder às perguntas e a sossegar as inquietações dos menos instruídos.

Fornecerá informações preciosas aos pesquisadores da verdade na esfera dos conhecimentos superiores que veicula; no entanto, trabalhará com maior devotamento em favor dos caídos em provação e necessidade que lhe batem à porta esmagados de sofrimento.

Prestigiará a ciência do mundo que suprime as enfermidades e valorizará o benefício da prece e do magnetismo curativo no socorro aos doentes.

Divulgará o conceito filosófico e a frase consoladora.

Propiciará o ensino, multiplicando o pão.

Um templo espírita, revivendo o Cristianismo, é um lar de solidariedade humana em que os irmãos mais fortes são apoio aos mais fracos e em que os mais felizes são trazidos ao amparo dos que gemem sob o infortúnio.

Nesse sentido, é lícito recordar os apelos endereçados pelo mundo espiritual aos espíritas, por meio da Codificação Kardequiana, no item 4, do capítulo XX, de *O evangelho segundo o espiritismo*, que nos apontam rumo certo:

> Ide, pois, e levai a palavra divina aos grandes que a desprezarão; aos eruditos que exigirão provas; aos pequenos e simples que a aceitarão, porque, principalmente entre os mártires do trabalho, na provação terrena, encontrareis fervor e fé. Ide! Esses receberão, com hinos de gratidão e louvores a Deus, a santa consolação que lhes levareis, e baixarão a fronte, rendendo-lhe graças pelas aflições que a Terra lhes destina.

Espíritas, reflitamos!

Estudemos, sentindo, compreendendo, construindo e ajudando sempre.

Auxiliemos o próximo, sustentando, ainda, todos aqueles que procuram auxiliar.

Jesus chamou a equipe dos Apóstolos que lhe asseguraram cobertura à obra redentora, não para incensar-se e nem para encerrá-los em torre de marfim, mas para erguê-los à condição de amigos fiéis, capazes de abençoar, confortar, instruir e servir ao povo que, em todas as latitudes da Terra, lhe constitui a amorosa família do coração.

Mimetismo e definição

Amor em ação, amor-entendimento, amor-brandura, amor em nome do Cristo, que se imolou por amor. Não nos esqueçamos, porém, de que o Cristo nunca se achou fora do caminho aberto que conhecemos como sendo definição.

A astúcia se esconde sistematicamente no "sim", a crueldade se encouraça no "não", e a preguiça não sai do "talvez".

O espírita, herdeiro atual do Cristianismo sem distorções, não pode ignorar a necessidade do equilíbrio.

Compreensão e ternura, mas atitude firme, para que a névoa da ignorância não invada a atmosfera mental onde vivemos, induzindo os companheiros de viagem terrestre ao vale da indecisão.

Somos, involuntariamente, a bússola uns dos outros. Os que marcham à frente ditam normas para os que se formalizam à retaguarda.

Todos influenciamos positivamente com o magnetismo da atitude. Daí o impositivo de sermos por fora o que somos por dentro.

Claramente é possível usar os valores afetivos em qualquer circunstância.

Misericórdia e paz em todas as situações, principalmente naquelas nas quais é preciso desembaraçar alguém da perturbação com a paciência e a abnegação de que não prescindimos para libertar o doente da enfermidade. Isso, contudo, não nos exime do culto à verdade.

Reportamo-nos, enlevados, ao amor que imperava nas coletividades cristãs do Evangelho nascente.

Os primeiros seguidores de Jesus amavam-se ternamente como verdadeiros irmãos; entretanto, não foi tão só a preço de doçura que venceram o sarcasmo e a perseguição de que se viram objeto.

O amor entre eles incluía a coragem, a franqueza, o desassombro e a fidelidade por ingredientes necessários ao triunfo sobre as vicissitudes da época, tanto quanto sobre si próprios.

Sejamos tolerantes no sentido construtivo, respeitando as vítimas de enganos consagrados e preconceitos infelizes, doando a cada uma delas algo de útil que as auxilie na edificação do bem com vistas à emancipação futura. Mas conservemos atitude límpida pela qual sejamos identificados na condição de espíritas a serviço do mundo renovado, evitando mimetismo e acomodação.

40
Socorro oportuno

E – Capítulo I – Item 5
L – Questão 780

Temas estudados:
Definição de condições e provas; Espiritismo e divulgação; Espiritismo na esfera pessoal; importância do Espiritismo na existência; necessidade de luz espiritual; sombras do caminho terrestre.

Sensibilizas-te diante do irmão positivamente obsidiado e esmeras-te em ofertar-lhe o esclarecimento salvador com que a Doutrina Espírita te favorece.

Bendito seja o impulso que te leva a socorrer semelhante doente da alma; entretanto, reflete nos outros, os que se encontram nas últimas trincheiras da resistência ao desequilíbrio espiritual.

Por um alienado que se candidata às terapias do manicômio, centenas de fronteiriços da obsessão renteiam contigo na experiência cotidiana. Desambientados num mundo que ainda não dispõe de recursos que lhes aliviem o íntimo atormentado, esperam por algo que lhes pacifique as energias, à maneira de viajores tresmalhados nas trevas, suspirando por um raio de luz... Marchavam resguardados na honestidade e viram-se lesados a golpes de crueldade, mascarada de inteligência; abraçaram tarefas edificantes e foram espancados pela injúria, acusados de faltas que jamais seriam capazes de cometer; entregaram-se, tranquilos, a compromissos que supuseram inconspurcáveis e acabaram espezinhados nos sonhos mais puros; edificaram o lar, como sendo um caminho de elevação, e reconheceram-se, dentro dele, à feição de prisioneiros sem esperança; criaram filhos, investindo em casa toda a sua riqueza de ideal e ternura, na expectativa de encontrarem companheiros abençoados para a velhice, e acharam-se relegados a extremo abandono; saíram da juventude, plenos de aspirações renovadoras e toparam enfermidades que lhes atenazam a vida... E, com eles, os que se acusam desajustados, temos ainda os que vieram do berço em aflição e penúria, os que se emaranharam em labirintos de tédio, por demasia de conforto, os que esmorecem nas responsabilidades que esposaram e os que carregam no corpo dolorosas inibições...

Lembra-te deles, os quase loucos de sofrimento, e trabalha para que a Doutrina Espírita lhes estenda socorro oportuno. Para isso, estudemos Allan Kardec, ao clarão da mensagem de Jesus Cristo, e, ou no exemplo ou na atitude, na ação ou na palavra, recordemos que o Espiritismo nos solicita uma espécie permanente de caridade — a caridade da sua própria divulgação.

O espiritismo em sua vida

Reflita na importância do Espiritismo em sua encarnação. Confrontemo-lo com as circunstâncias diversas em que você despende a própria existência.

Corpo – engenho vivo que você recebe com os tributos da hereditariedade fisiológica, em caráter de obrigatoriedade, para transitar no planeta, por tempo variável, máquina essa que funciona tal qual o estado vibratório de sua mente.

Família – grupo consanguíneo a que você forçosamente se vincula por remanescentes do pretérito ou imposições de afinidade com vistas ao burilamento pessoal.

Profissão – quadro de atividades constrangendo-lhe as energias à repetição diária das mesmas operações de trabalho, expressando aprendizado compulsório, seja para recapitular experiências imperfeitas do passado ou para a aquisição de competência em demanda do futuro.

Provas – lições retardadas que nós mesmos acumulamos no caminho, por meio de erros impensados ou conscientes em transatas reencarnações, e que somos compelidos a rememorar e reaprender.

Doenças – problemas que carregamos conosco, criados por vícios de outras épocas ou abusos de agora, que a lei nos impõe em favor de nosso equilíbrio.

Decepções – cortes necessários em nossas fantasias, provocados por nossos excessos, aos quais ninguém pode fugir.

Inibições – embaraços gerados pelo comportamento que adotávamos ontem e que hoje nos cabe suportar em esforço reeducativo.

Condição – meio social merecido que nos facilita ou dificulta as realizações, conforme os débitos e créditos adquiridos.

Segundo é fácil de concluir, todas as situações da existência humana são deveres a que nos obrigamos sob impositivos de regeneração ou progresso. Mas a Doutrina Espírita é o primeiro sinal de que estamos entrando em libertação espiritual, à frente do Universo, habilitando-nos, pela compreensão da justiça e pelo serviço à Humanidade, a crescer e aprimorar-nos para as esferas superiores.

Pense no valor do Espiritismo em sua vida. Ele é a sua verdadeira oportunidade de partilhar a imortalidade desde hoje.

Índice Geral[11]

A

Ação delituosa
   propósitos escusos e – 11
Acerto
   oportunismo e – 2
Acidentados da alma
   ação diante dos – 17
   chagas ocultas dos – 17
   comportamento dos – 17
   obsessão e – 17
   reajuste dos – 17
   remorso e – 17
Adoração
   inventando processos de – 24
   ritos exteriores e – 24
   sacrifícios sanguinolentos e – 24
Adversários
   reconciliação com – 27
Ágape
   valorização do * de vivência humana –
   Introdução
Agressividade
   caráter enfermiço da – 14
Alegria
   caridade moral e juros de – 19
   duração da – 2
   honra de acrescentar – 16
   irradiação da – 35
   lei de causa e efeito e – 34
   riqueza e verdadeira – 16

Alimento espiritual
   tédio e falta de – 2
Alma
   acidentados da – 17
   doenças do corpo e faculdades da – 31
   efeito da rebeldia na – 11
   escola da – Introdução
   livre-arbítrio e reino da – 32
   obra espírita e necessitados da – 12
   sombras da – 12; 13
Altruísmo
   prosperidade e – 7
Amanhã
   reflexão sobre – 1
Ambiente espiritual
   alicerces do – 35
   forças do pensamento e – 35
   harmonização no – 35
Amigo
   apreciação da conduta do – 30
   caluniador e – 8
   discrição, bondade e – 8
   ditado do * à alma – 8
   necessidades do Espírito e – 8
   palavra franca de – 8
   pensamento de simpatia para – 30
   perda de sintonia com – 30
   verdade e valor do – 8
   votos de êxito ao – 30

---

[11] N.E.: Remete ao número do capítulo.

Índice Geral

Amor
 ação do * em nome do Cristo – 39
 autoridade do – 21
 caridade e força do – 21
 continuidade do * após – 19
 Evangelho e finalidade do – 5
 pedágio do – 16
 poder do – 6
 solidariedade e – 9
Amparo espiritual
 acidentes do Espírito e – 34
 administração do – 34
 aperfeiçoamento íntimo e – 34
 leitura indesejável e – 34
Animalidade
 pesado lastro da – 31
Apego indébito
 prejuízos do – 18
 isenção do – 4
Autoburilamento
 curso de – 27
 educação e – 3
Autocrítica
 consciência tranquila e – 22
 coragem e – 22
 disciplina e – 3; 21
Automartírio
 influenciação espiritual e – 35
Autoridade humana
 intemperança e – 16
Autoeducação
 recusa deliberada na – 26
Autoexame
 inércia e – 28
 pedido de socorro e – 28
 ressentimento e – 27
Autoimportância
 melindres, mágoas e – 14
 sentimento de – 14
Auto-obsessão
 doenças-fantasmas e – 28
Auxílio mútuo
 colaboração dos benfeitores e – 6

B

Bem
 benefícios do trabalho no – 9
 cansaço no serviço do – 28
 características no trabalho do – 6
 consciência tranquila e prática do – 14
 cooperação no – 6
 Doutrina Espírita e edificação do – 32
 Doutrina Espírita e essência do – 20
 livre-arbítrio e vitória do – 4; 11
 procura do – Introdução
 responsabilidade na ausência do – 18
 respostas pelo trabalho no – 9
 tarefas do * anônimo – 6
 vida íntima e cultivo do – 23
Beneficência
 exercício de – 16
 valor da cooperação e – 20
Benemerência
 obra de – 9
Benfeitor
 confiança no – 4
 gratidão para com – 8
Bênção divina
 gratuidade da – 3
Betânia
 estudo do Cristo na casa de –
 Introdução, nota
Bolsa de causa e efeito
 débitos e haveres da – 1
Bondade
 família consanguínea, paciência e – 15
 necessidade do corpo e da alma e – 13

Índice Geral

C

Caridade
  aquisição de conhecimento e – Introdução
  coragem e – 20
  culto à Deus inicia com – 24
  discrição e – 19
  divulgação do Espiritismo e – 40
  fora da * não há salvação – 21
  força do amor – 21
  manifestação da justiça com – 21
  manifestação da lógica com – 21
  manifestação da ordem com – 21
  manifestação da verdade com – 21
  obsidiado e exercício da – 23
  pensamento do Evangelho – 27
  senda cristã – 25
  sistema contábil do Universo – 19
  verdadeira – 12
Caridade material
  abrangência da – 13
  mensagem de fraternidade e – 20
  oportunidade de serviço e – 20
Caridade moral
  abrangência da – 13
  bem-aventurado o exercício da – 20
  juros de alegria e – 19
Carteira do tempo
  concessões da – 1
Casamento
  crença religiosa e – 10
  êxito no – 10
  responsabilidade no – 10
Centro espírita
  Cristianismo e – 39
  educandário e – 39
  fé raciocinada e – 36
  objetivo de comparecimento ao – 36
  solidariedade humana e – 39
Civilização
  significado de – 33
Codificação doutrinária *ver* Doutrina Espírita
Comando
  pretensão de – Introdução
Comportamento
  noção de justiça e – 2
Concentração
  influenciação espiritual e poder de – 35
Confraternização
  apostolado de – 9
Conhecimento
  caridade e aquisição de – Introdução
Cônjuge
  atratividade da crença religiosa do – 10
  Espiritismo e – 10
  exemplo e convicções do – 10
  opção da crença religiosa do – 10
  pensamento e ação do – 10
  prova de sacrifício do – 10
  revelação da crença religiosa do – 10
Consciência
  atitude diante da – 5
  ferida – 12
  fonte da orientação – 20
  prática do bem e * tranquila – 14
Convicção espírita
  discernimento e – 3
Cooperação
  beneficência e valor da – 20
  médium em * com instrutores – 35
  pacificação e * despretensiosa – 34
  valor da * na equipe – Introdução
Coração
  abertura do * humano – 20
  mensagem e conteúdo moral do – 2
Coragem
  autocrítica e – 22
  caridade e – 20

Índice Geral

demonstração de – 20
desespero e aniquilamento da – 18
pedido de desculpas e – 27
Corpo
conceito de – 40
hereditariedade fisiológica e – 40
Crença religiosa
atratividade da * do cônjuge – 10
casamento e – 10
cônjuge e revelação da – 10
melhoria da conduta e – 10
modificação da – 10
Criador *ver* Deus
Cristão
dores alheias do – 27
Cristianismo
apostolado de Allan Kardec e – 12
centro espírita e – 39
espírita, herdeiro do – 39
Espiritismo e – 32
Cristo *ver também* Jesus
amor em nome do – 39
ensinamento do * sobre perdão – 27
estudo de * na casa de Betânia – Introdução, nota
Evangelho e pensamento do – Introdução
exortação de – Introdução, nota
verdade e – Introdução, nota
Crítica
aceitação da – Introdução
autoexame e – 22
revolta, depressão e – 22
Crosta terrestre *ver* Terra
Cruz de Jesus
símbolo da – 33
Culpa
ofensas, omissões e – 18
Cultura espiritual
livro edificante e – 20

Cura
cuidados com obsidiado depois da – 23
desinteresse pelo sucesso na – 23
humildade no trabalho de – 23

D

Dádiva
censura à – 16
força de lei – 16
medicamento das necessidades – 16
retardada – 16
tempo, * divina – 20
Decepção
conceito de – 40
Deficiência física
inconformação ante – 12
Depressão nervosa
energias do pensamento e – 28
Derrota
lição para o triunfo – 17
Derrotismo
influenciação espiritual e – 35
Desastre moral
conduta saneadora do – 11
Desculpismo
ilusão íntima e – 11
Desencarnação
construção da felicidade e – 16
diferença entre morte e – 26
obsessão oculta e – 28
Desobsessão
Doutrina Espírita e – 28
Jesus, iniciador da – 23
Deus
anseio de felicidade e vontade de – 5
anseio de paz e vontade de – 5
caridade no culto à – 24
empréstimo dos bens da vida e – 16
filhos bem-aventurados de – 24
integração com – 24

Índice Geral

necessitados e união com – 24
obra de benemerência e – 9
poder dado à criatura e – 34
proteção de – 3
vontade de – 5
Dever
   definição e cumprimento do – 5
   frustração e deserção do – 18
Direito individual
   preconceitos injustos e – 18
   utilização do – 18
Diretriz divina
   acaso e – 5
   sócios de ideal e – 5
Discernimento
   convicção espírita e – 3
Disciplina
   advertência, repreensão e – 34
   médium e – 37
   reforma íntima e – 16
Doação espiritual
   considerações sobre – 13
Doença
   amigo prestimoso na – 6
   conceito de – 40
   finalidade da – 40
Doenças-fantasmas
   auto-obsessão e – 28
   combate às – 28
   obsessão oculta e – 28
   solução das – 28
   vítimas das – 28
Dor
   aspectos da – 17
   conduta diante da – 28
   criação da – 17
   momentos de crises sem – 26
   revolta e – 17
Doutrina Espírita *ver também* Espiritismo, Nova Revelação
   desobsessão e – 28
   divulgação da – 36
   edificação do bem e – 32
   educação do obsidiado na – 23
   essência do bem e – 20
   lei de causa e efeito e – 12
   libertação espiritual pela – 40
   obsidiado e esclarecimento da – 40
   pensamento de Allan Kardec e – Introdução
   socorro da – 40

E
Educação
   autoburilamento e – 3
Educandário
   centro espírita e – 39
   função do * na Terra – Introdução
   vivência cotidiana e – 5
Egoísmo
   gás mortífero – 29
   justiça social e – 9
Enfermidade *ver* Doença
Entendimento mútuo
   criação de condições para – 34
Erro
   benefícios do – Introdução
   consequência da repetição do – 11
   esquecimento do – 25
Escola da alma
   templo espírita e – Introdução
Escola espírita
   Estude e Viva, livro, e – Introdução
   finalidade da – Introdução
Escola Terrestre
   supervisão divina na – 15
Escritura
   Filipe e passagens da – Introdução, nota
   Pedro, apóstolo, e interpretação da – Introdução, nota

Índice Geral

Esnobismo
   atitude espírita diante do – 32
   Doutrina Espírita e – 32
   oração e vigilância contra – 32
   orador espírita e – 37
   parasito destruidor – 32
   sinais de – 32
Esperança
   semeadores de – 34
Espírita
   ação do * na tribuna – 39
   apelo do mundo espiritual ao – 39
   comportamento ético do – 10
   consciente da reencarnação – 38
   devotamento do – 39
   dúvida do – 38
   família não espírita e – 38
   herdeiro do Cristianismo – 39
   identificação do – 39
   mimetismo e – 39
   necessidade do equilíbrio e – 39
   parentes não espíritas e – 38
   prece, magnetismo curativo e – 39
   prova do * na família – 38
   tarefa do * na reunião espírita – 36
   tarefa especial do – 35
Espiritismo *ver também* Doutrina Espírita, Nova Revelação
   caridade da divulgação do – 40
   cônjuge e – 10
   Cristianismo e – 32
   fora da caridade não há salvação – 21
   importância do * na vida – 40
   obra espírita e – 12
   pesquisa aos postulados do – 31
   provações e – 12
   Sol do Evangelho – 12
   tarefa urgente ante – Introdução
Espírito obsessor
   transformação depois da morte em – 31
Espírito perturbado
   tratamento do – 23
Espírito vingativo
   transformação depois da morte em – 31
Espírito(s)
   amigo e necessidades do – 8
   amparo espiritual e acidentes do – 34
   cooperação no reino do – 4
   Estude e Viva, livro, e auxílio dos – Introdução, nota
   evolução e marcha dos – 15
   forças do * e pensamento do pretérito – 1
   fuga às realidade do – 28
   responsabilidade individual do – 26
   tempo cedido ao * na reencarnação – 22
   trabalho e burilamento do – Introdução
   transmissão de luz do – Introdução
   verdade, luz do – 21
   viajores em evolução – 6
Espiritualidade
   carência de – 2
Esporte da alma
   prática do – 13
Estude e Viva, livro
   auxílio dos Espíritos encarnados e – Introdução, nota
   ensinamentos de Allan Kardec e – Introdução, nota
   escola espírita e – Introdução
   organização do – Introdução, nota
Estudo
   convite ao – Estude e via
   emancipação íntima e – Introdução
   hábito de – Introdução
   orador espírita e ausência de – 37
Eterno amigo *ver* Jesus
Evangelho
   Allan Kardec e * do Cristo – 21

Índice Geral

boas obras e – 3; 10
caridade, pensamento do – 27
culto do – 10
finalidade do amor e – 5
fraternidade e aprendiz do – 1
influência do * no culto à Deus – 24
pensamento do Cristo e – Introdução
Evolução
   mal e bem na marcha da – 4
   marcha dos Espíritos e – 15
   regulação do sofrimento e – 17
Existência humana
   situações da – 40
Exotismo
   Doutrina Espírita e – 32
Exposição doutrinária
   azedume e reclamações na – 37
Exterioridade humana
   valor da – 2

F

Faculdade medianímica
   Pentecoste e – Introdução, nota
Fadiga
   auxílio prestimoso na – 28
   na hora da – 28
   recordação de Jesus na – 28
Família consanguínea
   amparo recíproco na – 15
   bondade, paciência e – 15
   conceito de – 40
   corpo docente na Terra – 38
   discórdia na – 16
   dissintonia do espírita na – 38
   espírita em * não espírita – 38
   evolução do espírito na – 38
   finalidade da – 40
   neutralização do mal na – 15
   prece na – 15

Família espiritual
   diante da – 10
   fraternidade e – 15
   hábitos lastimáveis da – 10
   irmãos da – 10
   orgulho, sovinice e irmãos da – 10
   provação dos irmãos da – 10
Família maior *ver* Família espiritual
Fanatismo
   proteção das armadilhas do – 4
Fé
   prosperidade e – 7
   respeito à * alheia – 8
Fé raciocinada
   cultivo da – 24
   Espiritismo e – 37
   explicação lógica da – Introdução
   orador espírita e – 37
   reunião espírita e – Introdução
Felicidade
   anseio de * e vontade de Deus – 5
   condição para * verdadeira – 2
   construção da – 1; 16
   contemporização com engano e – 4
   desencarnação e – 16
   escolha do caminho para – 2
   estratégia de – 11
   leis do eterno Bem e – 5
   padrões da verdadeira – 24
   salvo-conduto para – 8
   solidariedade e crescimento da – 21
   dúvida, discussão e – 35
   instrutor espiritual e – 35
Filho
   associado de encarnações passadas – 38
   exemplo dos pais e – 38
   formação do caráter do – 38
   inobservância das tendências do – 38

origem da herança moral do – 38
respeito ao livre-arbítrio do – 38
Filipe
passagem das Escrituras e – Introdução, nota
Fome
problema da – 20
Fraternidade
aprendiz do Evangelho e – 1
família espiritual e – 15
mensagem de – 20
prosperidade e – 7
sinais vivos e puros da – 24
sonho de – 9
Frustração
deriva do mal – 24
deserção do dever e – 18
lisonja e criação da – 29
Futuro
fantasia e incerteza do – 1

H
Harmonia
ambiente espiritual e – 35
censura à pretexto de – 34
criadores de * doméstica – 34
Herança moral
origem da * dos filhos – 38
Hoje
conceito de – 1
melhor oportunidade – 1
Homem
circunstâncias favoráveis ao – 34
Hora
valor da * para sábios e ignorantes – 1
Humildade
prosperidade e – 7
timidez e – 20

I
Idade madura
demissão voluntária na – 26
gloriosa – 26
morto vivo e – 26
Ignorância
abolição da – Introdução
proteção das nuvens da – 4
Incompreensão
anulação da – 19
nuvens de – 8
Infelicidade
cultivo de aversão e – 3
Influenciação espiritual
aborrecimentos imanifestos e – 35
análise da possibilidade de – 35
automartírio e – 35
danos causados à Humanidade e – 35
derrotismo e * sutil – 35
fatores reveladores de – 35
hipermotividade, depressão e – 35
indisposição inexplicável e – 35
influenciador consciente e – 35
não aceitação da – 35
pessimismo e – 35
socorro na – 35
Infortúnio
compadecimento do * alheio – 12
exemplo de * oculto – 12
Inibição
conceito de – 40
Insensatez
cultivo à – 38
Insensibilidade
acalentadores da – 26
sofrimento e – 26
Instrumentos da hora
encarnados, desencarnados e – 5
sócios de ideal e – 5
Instrutor espiritual

Índice Geral

amparo à Humanidade e – 35
auxílio mútuo e – 35
cooperação do médium e – 35
fenômeno mediúnico e – 35
Inteligência
  burilamento da – 16
  finalidade da – 11
  lei de causa e efeito e – 34
  livre-arbítrio e – 11
Introspecção
  estilete da * na alma – 14
Invigilância
  moral duvidosa e – 25
  palavra ferina e – 11
Irritação
  em torno da – 14
  enfermos prestimosos e – 14
  primeiras formações da – 14

J

Jesus *ver também* Cristo
  amigos fiéis de – 39
  caminhos de elevação e – 24
  curava obsidiado – 23
  donativo de – 13
  equipe dos Apóstolos de – 39
  estudo da resignação em – 33
  ideal do coração e – 3
  iniciador da desobsessão – 23
  Lucas, evangelista e – Introdução, nota
  palavras de – 10
  primeiros seguidores de – 39
  recordação de * na fadiga – 28
  riqueza de – 7
  símbolo da cruz de – 33
  trabalho de equipe e – 1
  vida em equipe e – Introdução
Julgamento
  abstenção de – 31
Justiça
  comportamento e noção de – 2
  equidade da – 21
  manifestação da * com caridade – 21
Justiça real
  propósitos da – 5
Justiça social
  egocentrismo e – 9

K

Kardec, Allan
  Cristianismo e apostolado de – 12
  Doutrina Espírita e pensamento de – Introdução
  Estude e Viva, livro, e – Introdução, nota
  Evangelho do Cristo e – 21
  pensamento do Cristo e – Introdução

L

Laços do pretérito
  encarnados, desencarnados e – 5
  sócios de ideal e – 5
Lágrimas
  significado das – 17
Lei
  julgamento da – 15
Lei de mor e Justiça
  fenômenos do Universo e – 14
Lei de causa e efeito
  aplicação da inteligência na – 34
  Doutrina Espírita e – 12
  funcionamento da – 11
  possibilidade de alegria e – 34
  resposta da – 2
Lei divina
  agradecimento à * pela reencarnação – 31
Lei do eterno Bem
  felicidade e – 5
Lei do Universo

Índice Geral

provas e – 9
Livre-arbítrio
   inteligência e – 11
   mundo espiritual respeita – 38
   prática do bem e – 11
   reino da alma e – 32
   respeito ao * alheio – 22
   respeito ao * dos filhos – 38
   vitória do bem e – 4
Lógica
   conceito de – 21
   manifestação da * com caridade – 21
Lucas, evangelista
   Jesus e – Introdução, nota
Luta terrestre
   função educativa da – 28

M

Magnetismo
   espírita e * curativo – 39
   influência positiva do – 39
Mal
   cultivo da resignação diante do – 33
   esquecimento do – 27
   fixação do * e frustração – 24
   imunização contra – 11
   luta incessante contra – 34
   neutralização do * na família – 15
   perigo dos agentes do – 23; 23
   reação diante do – 33
   responsabilidade na prática do – 18
   subestimação do – Introdução
Maledicência
   banimento da – 35
   fel da – 14
Médium
   exercício da psicoterapia e – 31
   palavra orientadora do – 31
   servidor da Humanidade – 37

Médium iniciante
   ajuda ao – 37
   atenção especial ao – 37
   discernimento, merecimento e – 37
   educação doutrinária do – 37
   responsabilidade do – 37
Mediunidade
   assistência espiritual e – 31
   atitudes favoráveis à – 31
   burilamento da – 35
   discrição, respeito e – 31
   início do trabalho na – 31
   possibilidades de socorro e – 31
   psicoterapia e – 31
Medo
   proteção dos ataques do – 4
Mensageiro do Senhor
   colaboração na manifestação do – 35
   cooperação recíproca e – 36
Mensagem
   conteúdo moral do coração na – 2
   essência das próprias ações – 2
   fraternidade e * de auxílio – 20
   reflexão sobre * expedida – 2
   semente transportada – 2
   silenciosa do exemplo – 18
   substância real da – 2
Morte
   alteração da personalidade após – 37
   bagagem confiscada após – 19
   benefícios deixados após – 19
   continuidade do amor após – 19
   diferença entre desencarnação e – 26
   Espírito obsessor depois da – 31
   Espírito vingativo depois da – 31
   perda da riqueza após – 19
   saldo após – 19
   transformação depois da – 31

Índice Geral

Mundo espiritual
  apelo do * aos espíritas – 39
  assistência dos amigos do – 6
  respeito ao livre-arbítrio no – 38

N
Noivado
  finalidade do – 10
Nova Revelação *ver também* Doutrina Espírita, Espiritismo
  esnobismo e –32
  exotismo e – 32

O
Obra espírita
  auxílio da – 12
  Espiritismo e – 12
  necessitados da alma e – 12
  provações e – 12
  vivência da – 12
Obsessão
  acidentados da alma e – 17
  agentes do mal e – 23
  conversação desequilibrada e – 23
  cura da – 23
  em torno da – 23
  fronteiriços da – 40
  irradiação da – 23
  situações de emergência e – 29
Obsessão oculta
  desencarnação e – 28
  doenças-fantasmas e – 28
Obsidiado
  abstenção de censura ao – 23
  atenção ao * após a cura – 23
  clima familiar do – 23
  companheiros invisíveis do – 23
  consideração e assistência do – 23
  cuidados com o corpo do – 23
  Doutrina Espírita e educação do – 23
  esclarecimento salvador ao – 40
  exercício da caridade com – 23
  Jesus curava – 23
  socorro ao – 40
  trabalho como agente curativo e – 23
Onipresença divina
  conhecimento da – 3
Ontem
  reflexão sobre – 1
Opinião
  aceitação de – Introdução
  consequências da * orgulhosa – 11
Oportunismo
  acerto e – 2
Oração
  aperfeiçoamento da – 3
  espírita e valorização da – 39
  família consanguínea e – 15
  importância da – 25
  momentos difíceis e – 25
  obsidiado e recurso da – 23
  orador espírita e – 37
  profilaxia da – 29
  proteção com – 4
  provação e – 30
Orador espírita
  ataque as crenças alheias e – 37
  atitudes evitáveis e – 37
  ausência de estudo e – 37
  conceitos pejorativos e – 37
  esnobismo e – 37
  fé raciocinada e – 37
  inspiração dos bons Espíritos e – 37

P

Índice Geral

Paciência
    estudo da resignação e – 33
    família consanguínea, bondade e – 15
Pais
    exemplo dos * no lar – 38
    formação do caráter do filho e – 38
    imposição dos – 38
    oportunidade reencarnatória e – 4
    pontos perigosos para – 38
    servidores da felicidade e – 4
Parente
    familiar e * do coração – 19
    familiar e * do sangue – 19
Passado
    cadeias, sombras do – 1
    retificação de tarefas e – 30
Patrimônio espiritual
    incorporação de frases santificantes ao – 19
Paulo, apóstolo
    cartas de – Introdução, nota
Paz
    anseio de * e vontade de Deus – 5
    articulação de ideias de – 34
    escolha do caminho para – 2
Pedro, apóstolo
    interpretação da Escritura e – Introdução, nota
Pentecoste
    faculdade medianímica e – Introdução, nota
Pensamento
    ambiente espiritual e forças do – 35
    amigo e * de simpatia – 20
    depressão nervosa e energias do – 28
    êxito do * positivo – 23
    interpretação do * alheio – 22
    teor do * na vida moral – 22
Penúria
    caridade e vítimas da – 13

Perdão
    aplicabilidade do – 33
    começo da ciência do – 33
    ensinamento do Cristo sobre – 27
    indelicadezas pequenas e – 33
    injustiças do cotidiano e – 33
    necessidade do – 33
Pessimismo
    consequências do – 18
    influenciação espiritual e – 35
Plano espiritual *ver* Mundo espiritual
Prece *ver* Oração
Profissão
    conceito de – 40
Progresso
    colaboração com – Introdução
Prosperidade
    altruísmo e – 7
    composição da – 7
    fé e – 7
    formação da – 7
    fraternidade e – 7
    humildade e – 7
    transparência e – 7
Prova *ver também* Provação
    conceito de – 40
    leis do Universo e – 9
Provação *ver também* Prova
    aprendizado na escola da – 17
    enfermidade crônica e – 30
    imprevista – 30
    notícias infaustas e – 30
    oração e – 30
    posição adequada diante da – 30
    serenidade e – 30
Providência divina
    comparação da – 1
Psicoterapia
    médium e exercício da – 31
    mediunidade e – 31

Índice Geral

Q
Queixa
  viciação íntima e – 11

R
Rebeldia
  efeito da * na alma – 11
Reencarnação
  agradecimento à Terra pela – 31
  agradecimento pela – 31
  através da – 31
  consolidação da – 26
  correção dos excessos, penúria e – 31
  doenças do corpo e – 31
  tempo concedido na – 22
Reforma íntima
  ambiguidade nas atitudes e – 2
  disciplina e – 16
Remorso
  acelerador do – 16
  acidentados da alma e – 17
  ausência do bem e – 18
  livres de – 18
  prática do mal e – 18
Reparação
  serviço de – 27
Resignação
  ajustamento da – 33
  cultivo da * diante do mal – 33
  estudo da * em Jesus – 33
  paciência e estudo da – 33
Responsabilidade
  atos de – 21
  casamento e – 10
  exercício de – 25
  médium iniciante e – 37
  omissão de – 3
  preservação da verdade e – 25
  social – 31; 32

Ressentimento
  autoexame e – 27
  privilégio da – 8
Reunião espírita
  tarefa do espírita na – 36
  definição de – Introdução
  desinteresse pela – Introdução
  fé raciocinada e – Introdução
  participação da – Introdução
  vida eterna e – Introdução
Revolta
  depressão, crítica e – 22
  dor e – 17
  proteção das labaredas da – 4
Riqueza
  construção da * íntima – 34
  morte e perda da – 19
  posse definitiva da – 19
  verdadeira alegria e – 16

S
Sacrifício
  cônjuge e prova de – 10
Salvo-conduto
  felicidade e – 8
Sentimento
  manifestação pessoal do – 22
Simpatia
  predisposição à – 31
Sinceridade
  aço moral – 29
Sistema religioso
  criação de – 24
Sócios de ideal
  agradecimento aos – 5
  comportamento diante dos – 5
  Diretriz divina e – 5
  encarnados, desencarnados e – 5
  estímulo aos – 5
  instrumentos da hora e – 5

Índice Geral

laços do pretérito e – 5
sensibilização dos – 5
utilidade dos – 5
Sofrimento
  desconhecimento do benefício do – 28
  evolução e regulação do – 17
  insensibilidade ao – 26
  reação diante do – 33
Sol do Evangelho
  Espiritismo e – 12
Solidariedade
  amor e – 9
  centro espírita e * humana – 39
  exemplo de – 9
  exercícios de – 9
  crescimento da felicidade com – 21
  vantagens pessoais e – 9

T

Tédio
  falta de alimento espiritual e – 2
  proteção dos miasmas do – 4
Templo espírita
  escola da alma e – Introdução
  objetivos do estudo no – Introdução
Tempo
  conceito de – 1
  leviandade na utilização do – 22
  reencarnação e * concedido – 22
Terra
  agradecimento à * pela reencarnação – 31
  encarnados e desencarnados em serviço na – 5
  expressão de nossas ideias na – 1
  família consangüínea, corpo docente na – 38
  função do educandário na – Introdução
Timidez

humildade e – 20
Tirania
  fuga à – 8
Trabalhador
  atualização e competência do – 24
Trabalho
  ação curativa do * no obsidiado – 23
  autoridade moral e espiritual e – 31
  benefícios do * no bem – 9
  burilamento do Espírito e – Introdução
  características no * do bem – 6
  compartilhamento do – 5
  humildade no * de cura – 23
  início do * na mediunidade – 31
  Jesus e * de equipe – 1
  oportunidades para – 6
  posicionamento para retificação no – 35
  resposta do bem pelo – 9

U

Universo
  caridade, sistema contábil do – 19
  lei de Amor e Justiça e fenômenos do – 14
Uso e abuso
  considerações sobre – 7
  doença e – 7
  egoísmo e – 7
  supérfluo e – 7
  vício e – 7

V

Vaidade
  insinuação da – 35
Verdade
  Cristo e – Introdução, nota
  luz do Espírito – 21
  manifestação da * com caridade – 21
  responsabilidade e preservação da – 25
  valor do amigo e – 8

Índice Geral

Viciação íntima
  queixa e – 11
Vida
  adubo às raízes da – 2
  dependência recíproca na – 24
  desafio ao rejuvenescimento e – 26
  Deus empresta bens da – 16
  sentenças da – 25
  talentos da – 3
  troca incessante na – 6
Vida em equipe
  conjunto de heróis e – Introdução
  cooperação e – Introdução
  disciplina e – Introdução
  estudo e – Introdução
Vida eterna
  reunião espírita e – Introdução
Vida íntima
  cultivo do bem na – 23
Virtude
  braço amigo da – 15
Virtude aparente
  alteração da – 29
Virtude real
  incorruptível ante tentações – 29
Vítimas da penúria
  caridade e – 13
Vitória
  escolha do caminho para – 2

www.febeditora.com.br
@febeditoraoficial
@febeditora

Conselho Editorial:
Carlos Roberto Campetti
Cirne Ferreira de Araújo
Evandro Noleto Bezerra
Geraldo Campetti Sobrinho – Coord. Editorial
Jorge Godinho Barreto Nery – Presidente
Maria de Lourdes Pereira de Oliveira
Miriam Lúcia Herrera Masotti Dusi

Produção Editorial:
Elizabete de Jesus Moreira

Revisão:
Anna Cristina Rodrigues
Lígia Dib Carneiro

Capa:
Wallace Carvalho da Silva

Projeto gráfico
Rones José Silvano de Lima – instagram.com/bookebooks_designer

Diagramação:
Eward Bonasser Jr.

Foto de Capa:
http://www.shutterstock.com/ Eskemar

Normalização Técnica:
Biblioteca de Obras Raras e Documentos Patrimoniais do Livro

Esta edição foi impressa pela Viena Gráfica e Editora Ltda., Santa Cruz do Rio Pardo, SP, com tiragem de 600 exemplares, todos em formato fechado de 140x210 mm e com mancha de 104x170 mm. Os papéis utilizados foram o Off white bulk 58 g/m² para o miolo e o Cartão 250 g/m² para a capa. O texto principal foi composto em fonte Adobe Garamond Pro 12/15, os títulos em Adobe Garamond Pro 28/30. Impresso no Brasil. *Presita en Brazilo.*